**Franz Josef Noflaner
Menschen Blicke.
Malerei und Zeichnungen**

Band II

Franz Josef Noflaner
Menschen Blicke
Malerei und Zeichnungen

Band II

Herausgegeben von
Markus Klammer

Mit Texten von
Markus Landert, Markus Klammer, Katharina Moling

ISTITUT LADIN
MICURÁ DE RÜ

Museum Ladin
Ciastel de Tor

HAYMONverlag

Inhalt

7 Vorwort

13 Markus Klammer
Wünschen, blicken, staunen.
Zum Werk von Franz Josef Noflaner

77 **Ausgewählte Werke**

161 Markus Landert
Franz Josef Noflaner: Die Welt als surreales Theater

175 Katharina Moling
Werkverzeichnis

229 **Anhang**

231 Markus Klammer
Chronik zu Leben und Werk

248 Ausstellungen

249 Bibliografie

253 Autoren

254 Impressum

Vorwort

Das 20. Jahrhundert markiert mit den verschiedenen medialen Erscheinungsformen der Moderne eine einschneidende Erweiterung der Möglichkeiten, über die menschliche Existenz nachzudenken und ganz unterschiedliche und tiefsinnige Erfahrungen zu dokumentieren. Franz Josef Noflaner (1904–1989) steht hinsichtlich der Manifestation des Bildhaften in dieser Spannung zwischen Traditionsbindung und Existenzerfahrung.
Wenn die Dichtung und Poesie für Franz Josef Noflaner eine Art Zuflucht war, dem trivialen alltäglichen Dasein zu entfliehen, dann offenbart sich diese Bestimmung in der Zeichnung und Malerei noch unmittelbarer. Noflaner, der seiner Ausbildung nach eigentlich Bildhauer war, wählte für seine erste Selbstbestimmung zuerst den Beruf des Schriftstellers, um dann mit 60 Jahren seine ganze Kraft der Malerei zu widmen.
Nicht nur für seine Künstlerfreunde war es überraschend, als Franz Josef Noflaner in den 1960er-Jahren mit der Malerei begann und danach trachtete, eine – parallel zu den verbalen und klanglichen Bildern der Poesie – visuelle Vermittlung seiner Gedankenbilder zu entwickeln. Damit betrat Noflaner, ahnungslos der Zeit vorauseilend, ein heute ganz aktuelles Gebiet der Grenzüberschreitung und Vernetzung von verbalen und visuellen Medien.
Das zu zeigen ist das Anliegen des vorliegenden *zweiten Bandes* mit dem Titel *Menschen Blicke*: die Motivation und den Antrieb und vor allem die Resultate erfahrbar machen, warum Franz Josef Noflaner die Mittel der Poesie nicht ausreichten und er mit der Zeichnung und der Malerei den Mangel an Anschaulichkeit zu überwinden suchte.
Während in den aktuellen künstlerischen Trends der 1960er- und 1970er-Jahre der Verzicht auf figurative Darstellung und stattdessen Immanenz oder Abstraktion angesagt waren, beharrt Noflaner auf

einer gegenständlichen Bildsprache, um damit aber seiner ganz und gar unrealistischen Gegenwelt eine irritierende Lebendigkeit einzuhauchen. Die obsessiven Themen und Stoffe dieses Werkes sind die Menschen mit ihren Gesichtern und Figuren in ihrer Geselligkeit inmitten von Fauna und Flora im Tal in den Bergen.
Der Titel dieses Bandes benennt dabei das vielleicht alles bestimmende Motiv in diesem Werk, das menschliche Blicken und Staunen, das nicht nur ein zentrales Requisit der Figuren darstellt, es ist darüber hinaus eine Formel für das Medium dieser Malerei als Ort einer Begegnung zwischen den Betrachtern und dem Maler selbst und eine Vergegenwärtigung seiner Imaginationen und Wünsche.

An dieser Stelle wiederholen wir den Dank an den Herausgeber Markus Klammer, der als Kurator der zwei Ausstellungen im *Museum Ladin* in St. Martin in Thurn und im *Kreis für Kunst und Kultur* in St. Ulrich im Jahr 2012 die Recherche über Franz Josef Noflaner initiiert und fortgesetzt hat. Die von Katharina Moling an der Universität Wien eingereichte Magisterarbeit und das Werkverzeichnis über Franz Josef Noflaner erbrachten eine unverzichtbare Voraussetzung für eine umfassende Bestandsaufnahme dieses künstlerischen Werkes. Eine wichtige Bereicherung ist der Textbeitrag von Markus Landert, Direktor des Kunstmuseums Thurgau und des Ittinger Museums in der Schweiz, ein Experte für sogenannte Außenseiterkunst. Auch ihm sei herzlich gedankt.
Das *Museum Ladin* und das *Istitut Ladin Micurá de Rü* bekräftigen zum Schluss den Dank an die öffentlichen und privaten Geldgeber, die dieses Projekt ermöglicht haben. Allen voran an das Land Südtirol und das Land Tirol zusammen mit Herrn Hans Oberrauch und der Firma Finstral. Ein Dank geht an den Haymon Verlag für die Aufnahme dieser Edition in das angesehene Verlagsprogramm.

Stefan Planker	Leander Moroder
Museum Ladin	Istitut Ladin
Ciastel de Tor	Micurá de Rü
St. Martin in Thurn	St. Martin in Thurn

Wünschen, blicken, staunen

Ohne Titel, o. J.,
WV 290

Markus Klammer

Wünschen, blicken, staunen.
Zum Werk von Franz Josef Noflaner

1 Bilder eines Dichters

Was für die Malerei von Franz Josef Noflaner gilt, das trifft – wenngleich auf unterschiedliche Weise – auch auf sein poetisches Werk zu: es zeigt uns Bilder von Dingen, die uns ohne es unbekannt blieben. Naheliegend, dass es zwischen beiden strukturelle Korrelationen und gemeinsame Erfahrungen gibt, die für ein Verständnis dieses Werkes eine entsprechende Aufmerksamkeit verdienen. Dieses poetische Werk besinnt sich einerseits auf die Tradition der Dichtung, indem es die Wirkung der sprach- und tonbildenden Klänge und eine gezielt eingesetzte bildhafte Sinnlichkeit verschmilzt mit einem tragenden ideenhaften Gehalt. Anderseits knüpft dieses Werk mit dem Nebeneinander von Bild und Text, von Malerei und Dichtung ein intertextuelles Netzwerk zwischen Bildern und Gedanken, das dazu herausfordert, die einzelnen Fäden in diesem Geflecht herauszulösen, um ihre Zusammenwirkungen zu begreifen.
Bei erster Lektüre ist das poetische Werk ein Speicher mannigfaltiger Reize und Eindrücke aus der Lebenswelt, die sich zu ambivalenten sprachlichen Gebilden verschmelzen, und zugleich ist es durchdrungen vom Zweifel an der Evidenz des Sichtbaren und einer sinnlichen Harmonie. Eingefasst von seinen Lebensdaten 1904 und 1989 markieren die sichtbaren und verborgenen Spuren aus zwei großen Kriegen und der fortschreitende Zerfall des Kollektiven beinahe eine Jahrhundertperiode. Das ist die Vorlage, das Material, aus dem sich Noflaners empirische Welt speist und deren Umwandlung in Bilder seinem Leben erst Sinn zu geben schien.
Von Anfang an verbindet Franz Josef Noflaner Dichtung mit einem Verfahren zur sprachlichen Manifestation von Erfahrungen, das bereits eine Nähe zur bildlichen Wahrnehmung, zu Augenschein und

Zeugenschaft der Sinne verrät und das zugleich Einspruch erhebt gegen die angebliche Evidenz und den Absolutismus der Fakten.

Seine poetische Kraft bezieht dieses Werk, insbesondere in der Lyrik, aus sprachlich „gemalten" Bildern und Episoden mit dem Vernetzungsdrang über Raum- und Zeitgrenzen hinweg und seinem Hang zu gedanklich paradoxen Erkenntnisblitzen. Gelegentlich benennt der Titel das existenzielle Dilemma zwischen der Realität und der Welt der Gedanken, etwa im Gedicht *Pragmatik* von 1975.

Ein drastischer, protokollarischer Realismus mit Erlebnissen, die Noflaner als Zwölfjähriger 1916 mit russischen Kriegsgefangenen machte, wie diese als Zwangsarbeiter beim Bau der Grödner Schmalspurbahn eingesetzt wurden,[1] ist der Ausgangspunkt für eine Abhandlung des Kriegsdramas in wenigen reimlosen Versen. Das *Ich*, das hier spricht, ist das des Autors, der in keinem der Kriege gekämpft hat und der sich mit dem Abstand und der Erfahrung eines Menschenlebens in einer metaphorischen Begegnung von *Welt* und *Mond* über die enttäuschenden Lehren empört, welche „die Welt" daraus gezogen hat. Hier wird klar, dass die bildhafte Sprache kein Gefäß ist, aus dem man die Gedanken schlürft, sie ist selbst ein bildhaftes Material, das erst zum Leben erwacht, wenn der Leser es zu „sehen" bereit ist.[2] Aus der Zeugenschaft der Sinne und der Erinnerung erwachsen bei zeitlichem Abstand so Bilder und Ideen im Geiste.

Pragmatik

Hinter Kuhschwanz und Ziegenbock
hab ich meine Kartoffeln geröstet
im Windrausch des Herbstes;
und das Drama des Krieges

verhallte im Osten – und ging
auch im Westen zur Ruhe.
Das war meine erste Idee
vor dem Streit um den Wert der Ideen.
[...]
Ich verstand doch nicht viel von der Suppe.
Sechzig Jahre habe ich nun
die Russen aus dem Auge verloren –
und die Welt ist zum Monde gelaufen.
(Bd. I, S. 185)

Sich Bilder aus Wörtern zu machen endet nicht beim Augenfälligen. Auch das bloß imaginierte Gegenwärtige drängt bei Noflaner in die Poesie und trifft auf Personen oder Figuren, meist sind es ein lyrisches Ich oder wandlungsfähige Sprecher, und die ergeben in Summe eine ziemlich gemischte Gesellschaft mit wechselnden Masken von Mann oder Frau, von Tier oder Ding, von Dichter und Maler, Wanderer oder Spaziergänger, und nicht selten die eines ungebändigten Ver- oder Geliebten.

Mit wenigen Ausnahmen wie dem vorigen verzichten die meisten Gedichte auf eine identifizierbare Realität, Zeit und Ort werden nur generell angedeutet und die Stimmen und Szenen verdichten sich häufig

zu Sprachbildern mit einem hohen sinnlichen Gehalt und einer auf Erregung und Affekt abzielenden Wirkung. Je nach Intention und Gefühlslenkung kann dabei auch ein Anteil von Pathos eine wichtige Rolle spielen wie in *Besinnlicher Wald*, 1967.
Obwohl das Geschehen mit *Wald*, *Sonne*, *Bergen* und *Tal* eindeutig gegenständlich angelegt ist, mündet die Wahrnehmung der Sinne angesichts der Naturstimmung nicht in einer Evidenz oder Durchdringung des Sichtbaren, sondern eben in einer ziemlich rätselhaften „Gegenwart" desselben. Sie behauptet zwar ihre Geltung, ihre Wirkung bleibt aber folgenlos. Weisung und Trost in seinem Alleinsein erfährt der Wanderer von unerwartet empfangenen Botschaften, die fremden, unsichtbar gegenwärtigen Kräften zu verdanken sind. Der Weg durch den Wald ist ein einsamer und er endet abrupt in der Ungewissheit über das Danach.

Besinnlicher Wald

Hoch schlägt die Sonne
an den Mittagsrand.
Die grauen Berge
ragen in die Sphären.
Das Tal ist frei
von jeder Wolkenwand.
Wer kann sich diese Gegenwart erklären?

Mein Schritt geht fließend
durch die Einsamkeit;
und Stimmen schwirren ...
„Herz, bist du bereit?"
„Gib auf das Irren,
koste Seligkeit!
Das muß den Knäuel
jeder Qual entwirren!"
(Bd. I, S. 165)

Mit seinem poetischen Denken steht Noflaner auf der Seite des Ästhetizismus, der – im Sinne von Nietzsche – letzten metaphysischen Betätigung.[3] Demnach verneint er die idealistische und gleichzeitig materialistische Auffassung von der Welt mit einer anthropozentrischen Ordnung und einer Bühne, auf der der Mensch seine Macht ausübt, denn viele seiner Gedichte entwerfen eine bildhafte Gleichrangigkeit zwischen Gedanken und Dingen, zwischen Subjekt und Objekt. Das fällt ins Auge, wenn ein zunächst bekenntnishaftes lyrisches Ich sich selbst mit dem Werkzeug einer Metapher über das verlorene Glück Rechenschaft gibt und dafür „das Nichts" verantwortlich macht wie in *Verdrängte Verneinung*, 1964.

Was das *Ich* vom *Nichts* befürchtet, wenn es von Heidegger und Sartre[4] angeleitet und von eigenen empirischen Erfahrungen der Selbsttäuschung überführt wird, sagt es nicht. Ist es Vernichtung, Abwehr des Abgrunds oder der Verlust von Gewissheiten, gegen die es sich nicht wie gegen Hunger und Durst zu schützen vermag? Im „Glück ein dürrer Stecken" verbildlicht sich das eingestandene und wirkliche Problem, nämlich das einer entleerten Transzendenz, in der selbst der Gott – und gelegentlich sind es bei Noflaner auch die

Verdrängte Verneinung

[...]
Das waren bittre Jahre schwer
voll Sturm und Graus und Schrecken!
Mein Glück ein dürrer Stecken

versprach mir keinen Frühling mehr,
nicht Sommer und nicht Winter –
da war das Nichts dahinter.
(Bd. I, S. 101)

Götter – zwar als angerufene, tatsächlich aber nur mehr als machtlose deistische Instanz mit Platzhalterfunktion ohne Trost und Gnade auftritt und kein Ersatz in Sicht ist.

Wenn man Hugo Friedrich zustimmt, dass der Schwund des Realen und die Entpersönlichung der Dichtung als das grundlegende Merkmal der modernen Lyrik – dieser europäischen Entwicklung seit der Romantik bis ins 20. Jahrhundert – anzusehen sind, dann finden wir darin einen historischen Ankerplatz für das poetische Werk von Franz Josef Noflaner,[5] das sich ja keiner der Bewegungen der Avantgarde angenähert hat. Die ausgewählten Gedichte im Band I dieser Edition zeigen, wie Noflaners poetische Bilder in der Spannung stehen zwischen dem Angebot einer realen und zugleich flüchtigen Wahrnehmung oder Erfahrung und der Erregung einer gewünschten Imagination. Das real Erlebte und das mit den Augen Gesehene verwandelt sich in einer nachfolgenden Aktivität des Geistes in sprachliche Gedankenbilder. Oder sind es Bildgedanken? Das Unsichtbare am Sichtbaren oder das Sichtbare am Unsichtbaren?

Eine Auswahl von Textfragmenten verdichtet in der Form einer zusammengestellten Montage die Arbeitsweise in dieser gedanklichen Vermessung des Daseins in Bildern. Das Bildhafte bei Noflaner dient nicht unfassbaren oder hermetischen Botschaften, und selbst wenn einzelne Zeilen isoliert auftreten wie in den folgenden Beispielen und darin ein poetischer Sprecher hervortritt oder auch ganz fehlt, handelt es sich um sprachliche Gebilde, die mehr mit einem gemalten Bild oder einem Bühnenbild vergleichbar sind als mit einer verbalen Aussage.

        Pupillen rollen   dich wie gläsern an
Schwer legt das Sollen   sich um deinen Plan …

Der Herbst brach
    in den grünen Ring
        mit grauen Zauberstrichen …

        Ich sah die Sterne   auf der Wiese bleichen …

Die Stunde ist der Träume Dieb,   der Tod der Dieb der Zeiten …

Die Wolken glühn   als ob sie brennen könnten …

Mir Eingeweide schlingen um das Haar
                 weil ich zu Leide den Philistern war …

Graue Nebelmänner   hüllen alle Freuden
der Umgebung ein   zu erstarrtem Schweigen …

Mit kühnem Schritt   willst du die Welt umfangen;
und sei's ein Ritt   durch Kröten und durch Schlangen.

Noch eine Weile   eisig mal eisig
noch eine Weile   bitter mal hart …

Nebelschleier der Geschichte   kreisen manchen Hochmut ein!
Willst du Mann und Meister sein   fürchte Übel und Gerichte.

2 Bilder eines Malers

Die Beziehungen zwischen der Biografie Franz Josef Noflaners und dem Werk sind unübersehbar und wechselseitig: über 30 Jahre schriftstellerische Arbeit ohne Resonanz und Erfolg, von seinen Freunden aber als Verfechter einer künstlerischen Selbstbehauptung gehandelt, und schließlich die Ausweitung auf das Medium Zeichnung und Malerei, um seiner bildhaften Imagination mehr Durchschlagskraft zu verleihen. Dieser Aufgabe ordnete er seine profanen Interessen unter und hielt an der Hoffnung fest, das zu erreichen, was ihm vorher versagt geblieben war, nämlich als Maler erfolgreich und berühmt zu werden.

Gewiss spielte dabei das Image eine Rolle, das in den 1950er- und 1960er-Jahren bestimmten Exponenten der bildenden Kunst anhaftete, insbesondere, wie es ihnen gelungen war, den Bruch mit allen Regeln der Tradition und Konvention mit einem spektakulären Prestige und Erfolg zu verknüpfen. Prominente Künstlerfiguren dieser Zeit wie Picasso oder Warhol hatten es vorgeführt, dass gerade die Bereitschaft, mit der akademischen Ordnung zu brechen eine Voraussetzung war, in der Kunst zeitgemäße Fragen und Ideen aufzugreifen und mit neuen Ausdrucksmitteln entscheidende Wegweiser des Sehens und Denkens zu entwickeln.

Als Autodidakt hatte sich Noflaner in wenigen Jahren – und beraten von seinen Künstlerfreunden[6] – eine eigentlich eher rudimentäre Erfahrung und Maltechnik angeeignet, die er schrittweise verfeinerte und für seine Zwecke adaptierte. Daneben beschäftigte er sich auch mit kunstwissenschaftlicher Fachliteratur, vorzugsweise zum Werk alter Meister oder mit Einzelpositionen der Moderne.[7] Von einer Begeisterung für die großen Umbrüche und Namen der Kunst seiner Zeit wie Warhol und Rauschenberg oder Mondrian, Duchamp, Beuys oder Giacometti ist nichts überliefert. In Diskussionen mit den Freunden interessierte er sich dagegen brennend für das Phänomen der Autonomie der Kunst, wie sie sich hinsichtlich ihrer Inhalte von allen Regeln emanzipiert und sich zugleich der Fremdherrschaft und Kanonisierung durch die Ökonomie des Marktes ausgeliefert hat.

1960 entsteht das Prosagedicht *Ein Maler sein* mit einer Warnung an sich selbst vor dem Urteil anderer Menschen und mit einer Dosis Antikörper gegen den Befall mit leiblichen oder seelischen Leiden durch künstlerische Betätigung.

Die Selbstentfaltung als Maler erweist sich hier bereits als zwanghafte Selbstbehauptung in einem feindlich gesinnten Umfeld, die eine

Ein Maler sein
und Abschied nehmen von den Tintenflecken;
sich des Mitleids der Mitmenschen erwehren;
nicht zu viele Einwürfe von Pfuschern, Kennern,
Kritikern und Könnern einstecken müssen;
sondern seinen Durchgang zur höheren Moderne
der Tat und des Abenteuers finden;
durch einen Zufall weder vom Gerüst fallen,
noch über Nacht graue Haare zu kriegen
oder durch einen krankhaften Anreiz innerhalb
weniger Wochen zahnlos zu werden;
und nicht durch den Vorschlag eines Ministers aller
kriegerischen Parteien impertinenter Leibmaler zu werden:
Den und jenen Umstand aber rechtens erwägen:
Wie man zum Beschluß einer notorischen Lehrlingszeit
ein Held auf dem Parnaß würde und bliebe ...
(Bd. I, S. 29)

Wiederholung bekannter Enttäuschungen befürchten ließ. Ab Mitte der 1960er-Jahre folgten nichtsdestotrotz zwei Jahrzehnte intensiver künstlerischer Arbeit. Das Ergebnis ist – wie zuvor in der Dichtung – ein malerisches Werk als Projektionsfläche für menschliche Wünsche und Abgründe und mit einer verwirrenden Intensität und Kohärenz: etwa 400 Werke auf Leinwand beinahe ausschließlich in kleinem bis mittlerem Tafelbildformat und ein ebenso umfangreiches zeichnerisches Werk.

Das Bildhafte, für das bis dahin das Medium der Sprache ausgereicht hatte, bricht jetzt – ein halbes Menschenleben nach der Ausbildung zum Bildhauer, und natürlich mit einigen Handicaps – mit ebensolcher Bestimmtheit aus. In der Ausrichtung auf eine von Anfang an eigenwillige Maltechnik und die eigenen Themen und Motive zeigen sich keine Schwankungen oder Zäsuren, wenn schon sind es eigene Stilmerkmale und so etwas wie ein eigener „Stil", die in der nachfolgenden Entwicklung nur verfeinert werden.

Auffällig sind ein in den Grundmerkmalen an der Tradition orientierter Bildaufbau, eine gegenständliche Einheit von Form und Inhalt mit einem Verzicht auf erzählerische Details und eine Reduktion auf Flächigkeit und Schemenhaftigkeit der Darstellung. Der persönliche und eigenständige Charakter aber in diesem Werk zeigt sich in der Entfaltung eines Szenariums aus Bildwelten zum Thema Mensch und Natur in einem sinnlich und affektiv aufgeladenen Austausch mit dem Betrachter. Die vordergründigen Themen dabei: Gesichter und Menschenbilder mit Landschaften, Tieren und Pflanzen in einem archaischen Lebensraum.

Die Grundkonzeption und Weiterentwicklung des Formenrepertoi-

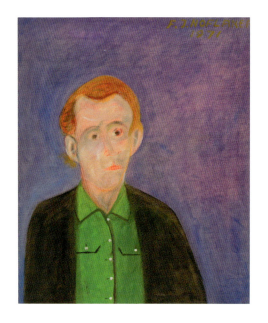
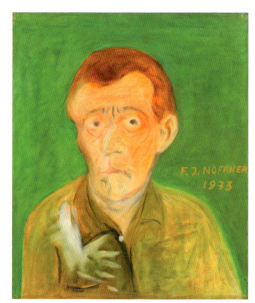

Ohne Titel, 1971,
WV 291

Ohne Titel, 1973,
WV 145

> Ohne Titel, 1981,
WV 326

res lassen sich exemplarisch an einzelnen Werken skizzieren, die als *Selbstbildnisse* anzusehen sind. Ungebremste Spuren von Begabung und Talent eines Spätberufenen kann man darin nicht entdecken, eher einen zielstrebigen Vitalismus. Von den ersten zwei Arbeiten, die dem Bildzuschnitt nach mit der Fotografie eines Passbildes vergleichbar sind, wirkt jene von 1973 (WV 145) geradezu asketisch. Das Bruststück in Frontalansicht zeigt ein Porträt mit skeptischer Miene und mit einem stieren, geradewegs dem Betrachter zugewandten Blick, dessen rechte Hand im Vordergrund sich an einer Sache zu schaffen macht, mit der ein Pinsel und eine Palette angedeutet sein könnte. Das zweite, frühere Selbstporträt (1971, WV 291) in Frontalansicht wirkt noch deutlicher von allen überflüssigen Requisiten bereinigt und so wie das andere verzichtet es auf jeden naturalistischen Anspruch, auf Raumperspektive und Modellierung der Licht- und Schattenverhältnisse.[8] Darin verbirgt sich ein programmatisches Werkzeug. Die Technik des Aussparens von realistischen Details und die Reduktion auf eine flächige Farbgebung und Verdichtung des gegenständlichen Themas erlaubt es, die ganze Kraft auf die Entfaltung einer affektiven Intensität des Blicks zu legen.

Einen besonderen Stellenwert nimmt das Werk *Ohne Titel* (WV 326) von 1981 ein. Es ist mit seinen inhaltlichen und formalen Botschaften und den wesentlichen thematischen Motiven als ein Schlüsselwerk Franz Josef Noflaners anzusehen, denn es bietet einen höchst dramatischen Einblick in das Spannungsverhältnis zwischen einem beabsichtigten und vielleicht unfreiwilligen Zeigen und Verhüllen von Details aus einer selbstanalytischen Perspektive. Das Gemälde auf Leinwand, eine Halbfigur mit den unübersehbaren Gesichtszügen einer Selbstdarstellung, verschmilzt nicht nur realistische mit symbolistischen Elementen, es liefert eine synthetische Ansicht jener Imaginationen, die man als bildhaftes Gegenmodell von Franz Josef Noflaner zu dem Natur- und Menschenbild begreifen muss, das auf einer strikten Trennung von Materie und Geist, von Subjekt und Objekt beruht und von dem in den weiteren Ausführungen noch zu reden sein wird.

Das Porträt zeigt die Halbfigur eines männlichen Kopfes in Profilansicht mit den ungleichen Resten zweier Flügelstümpfe und mit weiblichen Brüsten in einer durch die Anordnung der gestreckten Halspartie deformierten Körperhaltung. Am Bildgrund in einem eigenen Feld die Silhouette einer Landschaft mit einem Geflecht aus Bergen und der Metamorphose eines Gesichts, die den leidenden und nach oben gerichteten Ausdruck der Figur forcieren. Ziemlich explizit sind die Anspielungen auf engelhafte, aber um ihre Autorität beraubte göttliche Sendboten oder auf die Siegesgöttin Nike von Samothrake in einem Erregungszustand zwischen Klage und Pathos, von dem sich die Figur in diesem Akt der Selbstentblößung quasi exorzistisch zu befreien trachtet.

Hier zeichnet sich ab, auf welche Weise die Vernetzung von Poesie und Malerei bei Franz Josef Noflaner als Rechtfertigung einer menschheitlichen Bildersprache für Antworten auf die Fragen nach dem Kampf ums Sein, ums menschliche Schaffen und Machen betrieben wird. Es sind Bilder von Gedankenniederschriften und komprimierten Momentaufnahmen der vielfältigen Erscheinungen des Lebens, oft wie aus einem ikonischen Gedächtnis geschnitten, eben um dem Entschwinden des Gesehenen und Gedachten mit einer gesteigerten sinnlichen Bildhaftigkeit zu begegnen.

Bereits 1960, noch bevor Noflaner mit der Arbeit an seinem malerischen Werk angefangen hatte, dokumentiert er in dem Gedicht *Weg-*

Weggeworfener Pinsel

Man steckt nichts auf
und steckt nichts ein mit Bildern.
Uns will der Lauf
der Gegenwart verwildern.

Die Welt ist klein,
in der wir uns bewegen!
Und Kampf will sein
auf allen Friedenswegen.

[...]

Du glaubst den Stein
wohl auf den See zu heben;
doch wird er fein
in grüne Tiefen schweben.
(Bd. I. S. 26)

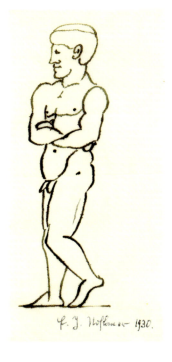

Tuschfederzeichnung, 1930

geworfener Pinsel seine desillusionierte Erfahrung mit den „Daseinsnarren" und kleidete sie in das Bild vergeblicher Bemühungen um eine Verdichtung von Wirklichkeit in Poesie und Malerei.
Im Unterschied zu den Bildern aus Sprache ist das zeichnerische und malerische Werk von Franz Josef Noflaner heute nicht mehr das eines Unbekannten. Nach einigen wenigen Ausstellungen vor und nach seinem Tod 1989 gab es bald ein lebhaftes Interesse von privaten Kreisen, Werke aus dem Nachlass zu erwerben.

Ohne Titel, 1983,
WV 307

3 Menschen. Blicke

Das Material, dem Franz Josef Noflaner in seiner Welt der Bilder einen zentralen Stellenwert einräumt, ist das Mysterium Mensch und das Menschenreich. Was er uns hierzu zeigt, sind Bilder und Erfindungen von höchster Seltsamkeit. Fiktive Porträts, Gesichter, Figuren, Seelenbilder schauen in die Welt mit hungrigen Augen, sie blicken und staunen. Thematisiert sind nicht das Persönliche, Individuelle von Menschen in einer bestimmten Realität, nicht ihre charakterlichen Eigenheiten, sondern die obsessiven und paradoxen Begegnungen des Malers mit Menschen in seiner Vorstellung.
Es sind aber unterschiedliche Lektionen, die Noflaner sich selbst und uns mit der Bindung seines Werkes an ein dermaßen bestimmendes Thema erteilt. Skizzen und Studien aus seinen Jugendjahren und die Umrisszeichnung einer männlichen Figur in klassischer Manier aus dem Jahr 1930 belegen (siehe S. 23), dass er sich früh mit Grundfragen der Gesichtsbildung an plastischen Objekten und mit der Aneignung von zeichnerischen Techniken beschäftigt hatte. In der künstlerischen Entwicklung ab den 1960er-Jahren fehlt aber ein vergleichbares analytisches und strukturiertes Vorgehen völlig.
Noflaners Interesse hat sich von Fragen einer naturalistischen Darstellung oder einer technischen Problemlösung völlig abgewendet, und er konnte sich damit auf den Bedeutungsverlust berufen, den die akademisch gelehrte und handwerkliche Perfektion in der Moderne erfuhr; eine Entwicklung, die ihm überhaupt erst gestattete, dieses Werk als eine ernsthafte Hervorbringung in Angriff zu nehmen und nicht bereits vor den eigenen, ohnehin unerhörten Ansprüchen zu scheitern. Noch deutlicher demonstriert er damit aber die grundsätzliche Unzulänglichkeit und Fragwürdigkeit von an der Nachbildung des Sichtbaren ausgerichteten Darstellungen, was in einer viel weiter reichenden Skepsis gegenüber der äußeren Erscheinung der Dinge begründet ist. Das erklärt, warum es Noflaner kein Anliegen war, beispielsweise sein bildnerisches Vermögen durch Schulung im Aktzeichnen oder im virtuosen Modellieren mit Farbe und Pinsel zu erweitern.
Den Verzicht auf Meisterschaft ersetzt Noflaner mit der Konstanz, ja Obsession in der Behandlung des Themas Mensch, aber nicht um ihn in seiner Ganzheit und Komplexität ins Bild zu setzen. Das er-

Ohne Titel, 1975,
WV 99

Ohne Titel, 1971,
WV 209

klärt die Fragmentierung und Reduktion auf die – anthropologisch gesehen – wichtigsten Elemente Kopf, Gesicht und Hand als Pars pro toto. Das zentrale Thema ist das menschliche Gesicht, verdichtet auf elementare Merkmale eines Moduls und ohne jeden Anschein eines Porträts. Im Unterschied zur Repräsentation einer Abwesenheit geht es hier um die Wirkung einer lebhaften Präsenz.[9]

Der mögliche Eindruck, dass es sich um Varianten eines gleichbleibenden Motivs handelt, täuscht. In Wirklichkeit sind es Wiederholungen aus dem Mangel einer Zielverwirklichung,[10] also Obsessionen. Die Gesichter in diesem Werk verfügen über effiziente Werkzeuge der Intervention. Sie übernehmen Rollen und tragen ihr Antlitz wie eine Maske ohne Eitelkeit und mit statischer Miene und Gebärde zur Schau, und gelegentlich ziehen die Figuren aus Neugier handfeste Grimassen oder Fratzen.

Dem gestalterischen Aufbau nach sind die Gesichter sparsam modelliert, mit geschlossener Kontur und oft frontal in die Bildmitte gesetzt. Die Köpfe schweben flächig im Raum oder sind mit anderen figurativen Elementen verwachsen. Meist handelt es sich um Teilansichten einer Schulter- oder Hüftpartie aus frontaler Perspektive. Der Hals ist ein Abstandhalter zum Rest des Körpers, wenn es einen

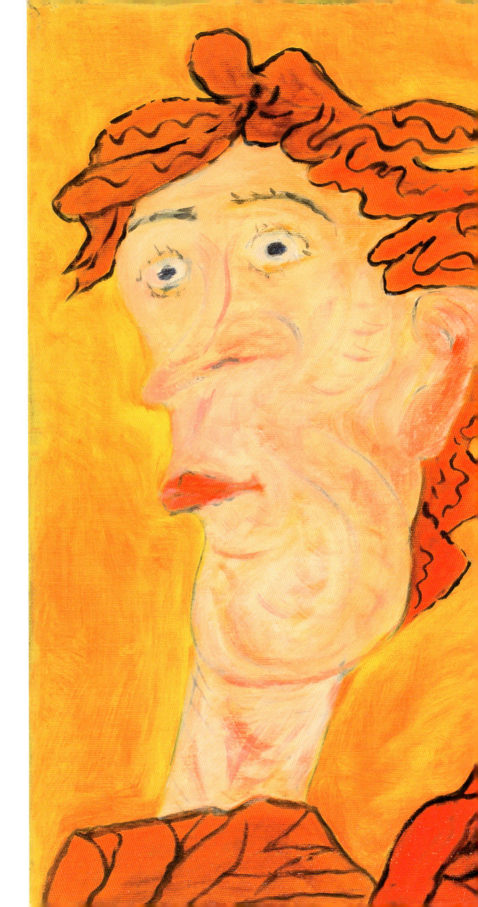

< *Ohne Titel*, 1970,
WV 514

Ohne Titel, 1969,
WV 105

solchen überhaupt gibt, oder er quillt aus einem Berggebilde oder aus einem anderen Kopf, seltener mündet er in der Nacktheit einer Figur. Eine den Bildgestalten in diesem Werk zumindest gleichrangige Bedeutung kommt dem Einsatz der Farbe zu. Sie verstärkt den Abstand zu jeder Wirklichkeitserfahrung und trägt entscheidend zur Intensität der Bildwirkung bei. Die Reduktion auf farbliche Grundwerte wie Rot, Blau, Gelb oder Grün in ausgefallenen Nuancen ohne Abstufung oder Zwischentöne und ohne Teilung des Bildraums in vorne und hinten schafft eine Art flächiges Bühnenbild für einen dramaturgisch mit Pathos aufgeladenen inszenierten Auftritt der Figuren.

Diese Menschenbilder werden damit zu einem Trägerobjekt[11] von sinnlichen und gedanklichen Erfahrungen, die kaum mit anderen modernen Strategien der Figuration vergleichbar sind. In ihnen verschmelzen die Botschaften des Gesichts zu offenen Gebärden der Erwartung, nicht selten verborgen unter einer authentischen Maske mit Referenzen auf die Gesichtszüge des Malers. Es sind Bilder einer Sehnsucht nach Wunscherfüllung, sie offenbaren Mienen des Begehrens und Staunens. Mit ihren Blicken fordern sie uns Betrachter eindringlich zu einem Blicktausch heraus und initiieren mit ihrer Reizwirkung einen bemerkenswerten Wandel. Diese Menschenbilder von blickenden Gesichtern konstituieren sich als Personen mit einer geradezu lebendigen Präsenz, in ihnen vollzieht sich eine Metamorphose des Blicks in eine kollektive Aktivität.

Was Noflaner von der anthropologischen Funktion des Gesichts als angebliche Außenansicht einer Identität in seinen Figuren übrig lässt, ist eine Dialektik zwischen zeigen und verhüllen, zwischen offenbaren und verbergen. Da es sich um Nicht-Porträts handelt, erfahren wir wenig bis nichts über ihre soziale Existenz. Die Menschen in diesen Bildern stehen mehr außerhalb als innerhalb einer Gesellschaft und sie sind zugleich Objekt wie Subjekt einer gegenseitigen Begegnung. Sie nehmen Teil am Leben in einem Menschenreich im Einvernehmen mit den Bergen und der belebten Natur und ohne erkennbare Zwänge einer Ökonomie.

Im Nebeneinander als Serie und Wiederholung treffen wir auf menschliche Typen mit einem hohen psychischen Potential. Häufig betören sie mit einer selbstbewussten Ambivalenz zwischen männlich und weiblich. Es sind Manifestationen des Fremden und des Begehrens. In diesen Bildern begegnet uns aber auch die Person des Ma-

lers, denn mehrfach lugt hinter den verschiedenen Typen sein eigenes Selbstbildnis hervor.[12] Diese Figuren sind dauerhafte Überbringer von Wünschen und Begehrlichkeiten eines 1989 Verstorbenen und verflechten sie mit unserem Erlebnis einer stechenden Irritation. Sie stehen in einem Geflecht von Wirkungen und Bedeutungen und wecken Affekt, Attraktion, Fremdheit, Konsens, Dissens, Empathie.

Das „drama of looking" erfüllt sich in einem kurzen Blick mit langer Zeit und markiert wie die „Dramaturgie" der poetischen Bilder mit den flüchtigen Figuren der Sprecher ein arrangiertes Beziehungsgeschehen aus sinnlichen Extravaganzen zur Überwindung der Trennung zwischen Formen des Gegenwärtigen und des Gedachten. Die gemalten Gesichter und Figuren zielen mit ihrem Verlangen nach Begegnung und freimütiger Kontaktaufnahme auf das Wunschhafte und Gleichzeitige, denn sie sind zugleich Betrachter und Betrachtete. Und wir, die wir uns vor den Bildern aufhalten, wo sich einst der malende Noflaner befunden hat, finden uns in einer vergleichbaren Situation wieder, in die der Maler aus seiner hohlen Alltäglichkeit geflüchtet ist.

Diese Gesichter konfrontieren uns mit einer Prüfung uralter Denkfiguren von der Einheit und Ganzheit des Daseins, die sich als Vorausdeutung und angekündigte Erfüllung begreifen lassen. Es sind

Ohne Titel, 1980,
WV 233

Ohne Titel, undatiert,
WV 102

Ohne Titel, 1971,
WV 372.2

archetypische Denk- und Erregungsbilder,[13] wie man sie aus der Erzählung von Märchen und Sagen oder aus dem Alten und Neuen Testament kennt, wo – wie in einer Präfiguration – das erzählte Geschehen sich in seiner Weitergabe fortsetzt und die Realzeit antizipiert: der mythische Vogel Phönix entsteht am Ende des Lebenszyklus aus seiner Asche neu, der verlorene Sohn wird durch die Güte seines Vaters wieder aufgenommen, Jesus trägt zuerst das Kreuz, an das er geschlagen wird, und steht von den Toten wieder auf.[14]
Anders aber als in Geschichten mit einer übermenschlichen oder göttlichen Ordnung ertragen die Figuren von Franz Josef Noflaner ihr Schicksal ohne den Lohn einer Tröstung. Ihre Blicke und Wünsche treffen voller Gier und Hoffnung auf unsere Blicke und Gedanken, arm oder reich an Empathie, und die Begegnung mündet in einer eingefrorenen Enttäuschung. Es sind gemalte oder poetisch verdichtete Erfahrungen einer ungleichen Kontingenz: wir folgen den fremden Affekten und Imaginationen dieser Gesichter auf den Leinwänden und in den gereimten Versen und integrieren sie in unsere Jetztzeit, während sie in episodischer Ahnungslosigkeit keinen Gleichklang mit uns finden und nicht erlöst werden von ihren Zwängen. Sie sind erstarrt, als hätten sie das Scheitern der Begegnung mit uns vorausgewusst.

4 Adam, Eva und die Schlange

In der Malerei und Zeichnung wie auch im wirklichen Leben von Franz Josef Noflaner kommt dem Thema Mann und Frau als Projektionsfläche für das Gemeinsame mit dem anderen Geschlecht, für Wünsche und Abgründe eine ambivalente Bedeutung zu. Dass von längeren Liebschaften oder Bindungen zu Frauen nichts überliefert ist, verleiht den phantastischen, aber mit der gesellschaftlichen Realität dennoch weitläufig vernetzten menschlichen Kreaturen in diesem Werk umso mehr eine hintergründige und skurrile Dramatik.

Diese Bilder erzählen nicht nur Geschichten vom menschlichen Verstehen und Nichtverstehen der Geschlechter. Die Frau erscheint in kontroversen Rollen und Facetten des Daseins kompetent: als Eva für Adam, als Nymphe und Gespielin, als unschuldiges Mädchen, als Maskenfrau oder dominante Herrin, als Hexe und engelhaftes Wesen mit Flügeln (WV 322). Sie steht mit der Schlange im Zeichen der Schuld und weckt Lüsternheit und Begehren ebenso wie Erstaunen und Erschrecken. Gemeinsam mit den darin gespiegelten männlichen Gesichtern und Rollen sind diese Menschenbilder Schauplatz einer imaginären Emanzipation von sozialer Bevormundung oder Konformität. Darüber hinaus zeigen sich vielschichtige Bezüge zu zentralen Motiven der abendländischen Bildgeschichte und zu allgemeinen Fragen wie der Erfahrung vom Schwund des Individuums und der Identität des Menschen in der modernen Gesellschaft.[15]

Eine besondere Wirkung beziehen die Arbeiten zu diesem Themenbereich vor allem aus der Spannung zwischen den außerordentlich bewegten Ereignissen der Darstellung und der naiven Unbeschwertheit oder kindlichen Einfachheit der Ausführung, was auf Einflüsse aus der Beschäftigung mit antiken Mythen oder mittelalterlichen Fresken hinweist.[16] Das Gemälde *Ohne Titel* von 1979 (WV 69) in Hochformat und mit für Noflaner ungewöhnlichen Maßen zeigt eine Szene aus einer ungenierten, ja frivolen Imagination. Eine bis auf die Scham unbekleidete Frau dominiert als Ganzfigur in der fliegenden Pose einer Tänzerin den Bildraum und gibt den Blickfang. In Eintracht mit ihrem untertänigen männlichen Gefährten richtet sich die Obsession des Schauens der beiden wie ein Begehren um Aufmerksamkeit auf uns Betrachter. Unter den anderen lebenden Figuren sticht ein Schlangenwesen hervor, eine mythische und im Werk des

Ohne Titel, 1976,
WV 322

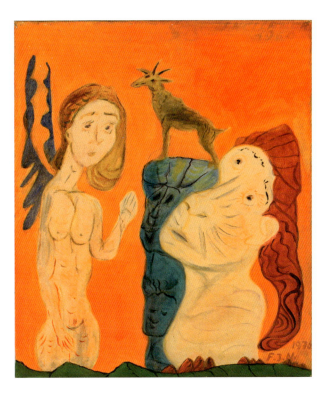

Dichter-Malers ziemlich heimische Figur. Bedeutsam ist die Referenz dieser Chiffre. Die *Genesis* berichtet unter 3.1-6, dass „die Schlange listiger war als alle Tiere des Feldes, die Jahwe Gott gemacht hatte", und wie es ihr gelang, Eva, das Weib, zu verführen, mitten im Garten vom Baum der Erkenntnis zu essen und auch Adam dazu anzustiften.[17] Das ist Noflaners Quelle in *Letzte Dinge am Horizont.*

Und an anderen Stellen heißt es: „Es zischen Schlangen im Gehege" (*Heiligkeit der Unrast,* Bd. I, S. 14), oder „Alle Wege bin ich schon gegangen, manche Wurzeln starrten wie die Schlangen" (*Gezacktes Sonett,* Bd. I, S. 56). Noflaner beschwört poetisch und bildhaft mit der Figur der biblischen Schlange den archaischen Ursprung des menschlichen Leidenslebens, er inszeniert ihre überall lauernde Gegenwart und ewige Wiederkehr, um ihr, als Fuchs personifiziert, den Kopf abzubeißen (*Fabelei,* Bd. I, S. 200), bis sie an anderer Stelle wieder auftaucht.

Das Aufeinandertreffen von rauschhaften, sich begehrenden und verzehrenden Kräften in der Beziehung zwischen Mann und Frau ist das Thema in einem Werk

Letzte Dinge am Horizont

Die Schlange schlief,
ihr Denken war so tief.
So schön ihr Traum
von Mond und Apfelbaum.

Den Zauberstab
riß Sehnsucht aus dem Grab –
und sprach dem Licht
das göttliche Gedicht.

Ich bin das Kind
in dem die Sterne sind!
Die Unrast bin
ich von Geduld und Sinn.
[...] (Bd. I, S. 19)

Ohne Titel, 1979, WV 69

desselben Jahres 1979, von dem auch der Titel überliefert ist: *Adam und Eva* (WV 74). Auch hier schwebt die Frau als Eva personifiziert in luftiger Höhe mit kräftigen Brüsten und einem zu einer Hand mit fünf Fingern mutierten Körper. Und unter den das Geschehen begaffenden Tierwesen findet sich eines mit bedrohlichen Zähnen und Augen, ein bildhafter Reflex auf Quellen, die sich Noflaner aus seiner schlaglichtartigen Rezeption der modernen Malerei bei Picasso und anderen Vorbildern erschlossen hat.[18]

Mit solchem Themen- und Formenfundus bewegt sich dieses Werk in einem signifikanten Szenarium der europäischen Bildgeschichte aus Literatur, Theater und Kunst, das sich maßgeblich auf die Dialektik zwischen Zeigen und Verhüllen realer gesellschaftlicher oder

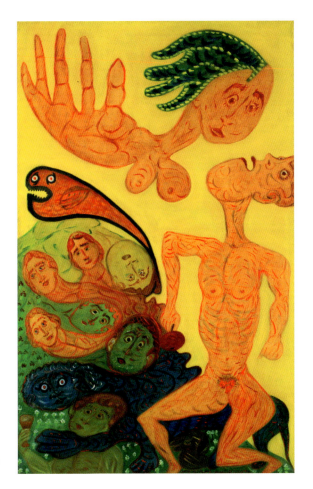

Adam und Eva, 1979,
WV 74

individueller Identitäten bezieht. Das betrifft auch das groteske Maskenspiel in einer Szene zwischen Mann und Frau im Werk *Ohne Titel* (WV 325, 1970), hier als Rollenspiel mit Akteuren und Zuschauern erkennbar, wie man es vom Antiillusionstheater à la Luigi Pirandello oder Bertolt Brecht her kennt, und wo das Tragen einer sichtbaren oder unsichtbaren Maske bei aller Hüllenlosigkeit der Figuren einem Verrat an der Identität und an der Person gleichkommt. Der Mensch stellt sich als Maskenträger und Schauspieler heraus, und er tritt wie im Werk *Ohne Titel* (WV 211, 1971) sogar in Gesellschaft mit dem Tod als dem Schwarzen Mann und zusammen mit der Schlange auf. Was alle drei verbindet: sie tragen ein Gesicht.
Maßgebend bei Noflaner sind die Figuren mit einem generellen

Ohne Titel, 1972,
WV 634

Ohne Titel, 1972,
WV 630

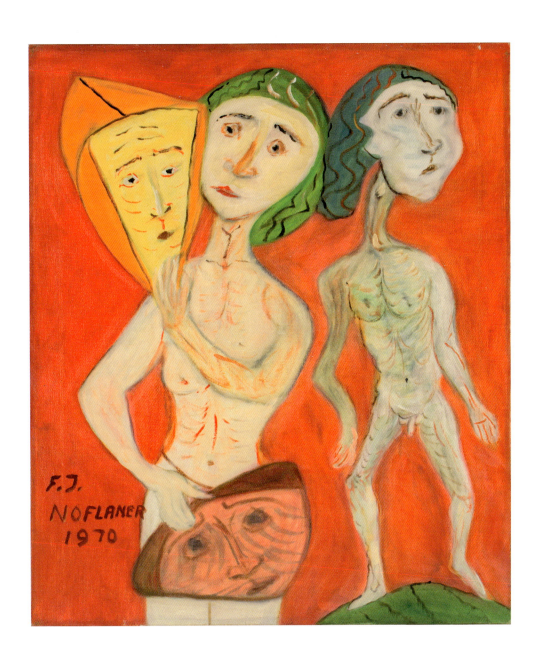

Ohne Titel, 1970,
WV 325

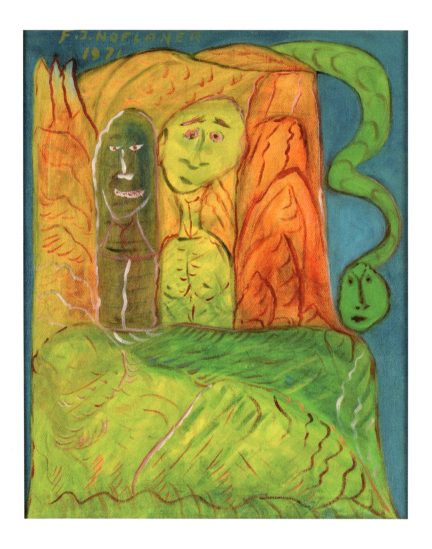

Mangel an Identität und Persönlichkeit und ohne gattungsmäßige Distinktion. Es handelt sich um Trägerfiguren kollektiver Physiognomien, um Embleme für ein Mensch-Sein frei von einer Repräsentation individueller Eigenheiten. Sie tragen schablonenhafte Gesichter mit einer Verdichtung auf schemenhafte Elemente in einer matrizenhaften Figuration. Ein Vergleich mit byzantinischen Ikonen oder Maskenbildnissen afrikanischer Herkunft verdeutlicht den Sinn eines solchen Verzichts auf Individualität und Vielfalt, nämlich

Ohne Titel, 1971,
WV 211

Abstraktion und Befreiung von jedem menschlichen Naturalismus mit dem Ergebnis einer Intensitätssteigerung.[19] Das schließt offenbar auch die Möglichkeit einer transgressiven, also die Gendergrenzen verwischenden menschlichen Identität ein. Bei einer ganzen Reihe dieser Kreaturen ist ein eindeutiger Habitus als Mann oder Frau sehr fraglich. Sie sind als androgyne und vielleicht sogar transpersonale Figuren in ein belebtes Flechtwerk eingebunden, teilweise überschreiten sie die geschlechtsbedingte Sphäre und schaffen sich ihre eigene Lebenswelt.
Obwohl die Quellen für das malerische Werk von Franz Josef Noflaner teilweise ausgesprochen persönlich angelegt sind, liest es sich unter manchen Aspekten wie ein bildhaftes Dokument einer allgemeinen Deklaration. Diese Gesichter und Figuren haben die Funktion als Schlüssel zu einer menschlichen Identität abgelegt, womit sie die „faciale Gesellschaft"[20] unserer Zeit auf paradoxe Weise antizipieren. Zugleich konfrontiert uns ihre Bildersprache mit einer provokanten Anthropologie, einer Gegenwelt zur realen Welt ohne jede Erhöhung des Menschentums und ohne Idealisierung oder Humanisierung.

Ohne Titel, 1975,
WV 650

Ohne Titel, 1974,
WV 100

5 Fragmente eines Ganzen: Hand und Sterne

Den Bildwelten von Franz Josef Noflaner zu folgen bedeutet nach der Evidenz der Dinge zu fragen und zu erfahren, dass es eine solche nur in der Zusammensetzung von Fragmenten gibt. Wir treffen auf eine Vielfalt von Existenzen, die alle eine ebenbürtige Triftigkeit beanspruchen: es sind reale und lebendige, markant bildhafte, leblose, sprachliche oder analoge, nur poetisch sagbare oder archaisch unbegriffliche und gedanklich provokante. Parallel zur Flüchtigkeit des Sprecher-Ichs in der Dichtung und zur Flucht des Individuellen in das maskenhafte Gesicht zeigt uns dieses Werk eine Welt, die sich erst allmählich durch das gedankliche Zusammenfügen von Teilen zu einem Ganzen begreifen lässt.
Die *Schlange* als bildhaftes Fragment aus der biblischen Anthropologie markiert den Übergang von einem gotteshörigen zu einem geistbestimmten Menschen, der in der Ausweisung eines Sündenbocks, auf den man die Ursache der Schuld abladen kann, einen Rückfall erfährt in die Praxis einer kultischen Konformität.[21]

Ohne Titel, 1981,
WV 186

Um nichts und viel

Ich sah die Sterne
auf der Wiese bleichen ...
Der Morgen kam
mit seinen Flammenzeichen.

Frost war mir in
das Kniegelenk gefahren;
Haß zog mich fort
bei ungekämmten Haaren.
[...] (Bd. I, S. 99)

Und so wie der Maler seinen eigenen Erfahrungen unterliegt, werden die Subjekte der gemalten Figuren vom Gegensatz der Lebensformen erfasst, wie er für Produktionsgesellschaften typisch ist, nämlich von der Trennung von *Kopf* mit *Augen*, die blicken, und *Arm* mit *Hand*, die greift und handelt, eine Trennung, die sich gesellschaftlich und bildhaft in dieses Werk wie ein unaufhebbarer Befund eingeprägt hat. In zahlreichen Arbeiten auf Leinwand und in Zeichnungen verselbständigen sich emporrankende Arme und Hände von ihrer körperlichen Anbindung (WV 100, WV 186, WV 650), sie greifen aber ins Leere oder reklamieren wie ein Monument auf einem Sockel ein würdiges Gedenken (WV 649). Und im Gedicht *Zuerst war das Leid* (Bd. I, S. 32) appelliert der Sprecher an sich selbst: „Rühre dich mit tatgewohnten Händen", und in *Körbe den Wolken* (Bd. I, S. 42) lautet der Befund „Die Hand ist weit / gestreckt ins Übersein ... / Unendlichkeit / zieht Rock und Fächer ein". Die Hand greift nach einem Bild der Sehnsucht und Übersteigerung des Seins, der Griff aber ist einer ins Weite und Unendliche.

Die vielleicht entscheidende Herausforderung aber in diesem Werk liegt in der Revision der Bilder, die sich der Mensch kulturbedingt von sich selber im Verhältnis zu anderen Existenzen macht. Seit jeher war es sein Bestreben, sich von der Welt der Dinge, der Natur und der Tiere zu unterscheiden und sich in einer Vormundschaft über sie zu erheben. Für diese allgemeine Praxis, an der Überlegenheit des Menschen gegenüber der Vielfalt anderer Existenzformen festzuhalten, gibt es in diesem Werk kein ausreichendes Fundament mehr. Noflaner aktiviert einen fabelhaften bildlichen Vitalismus und Animismus, in dem wir Dingen begegnen, von denen wir gewohnt sind, sie für eine entzauberte und rein physische Materie zu halten, weit entfernt von dem Raum unserer Gegenwart, den sie mit ihrem verführeri-

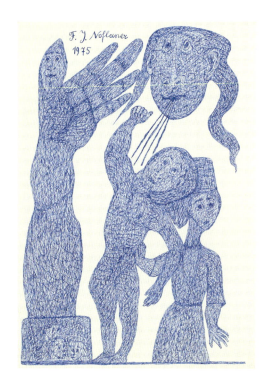

Ohne Titel, 1975,
WV 649

Ohne Titel, 1969,
WV 348

Stimme der praktischen Vernunft
[...]
Übe dich um ein Gelingen,
sei es bitter oder süß;
doch im düsteren Mißlingen
Hoffnung dir und Sehnsucht grüß.

Keiner ist vom Glück verlassen,
der es in den Sternen ahnt!
Laß das Fürchten, flieh das Hassen ...
Stunde dich zur Stille mahnt.
(Bd. I, S. 177)

schen nächtlichen Reiz zu beeindrucken trachten. In diesen Werken aber treten uns *Sterne* (WV 348) und *Kugelblitze* (WV 306) entgegen mit lebhaften Gesichtern und offenen Augen, sie bewohnen den Nachthimmel der Bilder und sind kaum zu unterscheiden von den schwebenden menschlichen *Gesichtern* in ihrer Gesellschaft. Wir treffen auf eine belebte Kosmologie, mit der uns Noflaner an Immanuel Kant gemahnt und uns Bewunderung und Ehrfurcht abverlangt, „je öfter unser Nachdenken sich damit beschäftigt: mit dem bestirnten Himmel über uns, und dem moralischen Gesetz in uns".[22]

Das Nebeneinander von Menschenform und Naturform drängt uns zu einer Verknüpfung von sinnlichen Erfahrungen des Körpers mit Vorstellungen und Barrieren in den Gedanken und poetischen Bildern. Die bildhafte Trennung von Kopf und Hand macht uns dabei das Dilemma anschaulich, vor dem wir uns befinden: sie ist ein Zeichen für den Machtverlust des Geistes und des Willens und ein Protokoll für den aussichtslosen Kampf zwischen Geist und Leib. Der Dichter hofft auf die Macht des Wortes und wird nicht gelesen, und der Maler motiviert, die Augen weit zu öffnen, und trifft auf blinde Betrachter. Geist gegen Natur.

Ohne Titel, 1969,
WV 306

Bergrose, 1981,
WV 174

6 Metamorphosen

Obwohl in jeder Hinsicht eigenwillig und ursprünglich, formal gesehen gibt es in diesem Werk keinen grundsätzlichen Kontrast zu einzelnen Entwicklungen oder Bildformen in der modernen Malerei. Öfter sind beispielsweise figurative und räumliche Elemente aufgelöst, und durch Dissoziation und synthetische Figuration werden verschiedene Ebenen der Realität verknüpft und zu imaginären Bildformen erweitert. Maßstabssprünge oder die Verbindung von Profil- und Frontalansichten durchkreuzen ein naturalistisches oder affirmatives Betrachten. Insgesamt lässt das gesamte Werk aber keinen Zweifel, dass es sich um ein inhaltliches Nachdenken in Bildern über grundsätzliche Fragen der Natur und des Lebens handelt und nicht etwa um eine Beteiligung am Wettbewerb um die adäquateste Erneuerung „moderner" Kunst: nicht Form-Recherchen oder experimentelle Bildfindungen, sondern Gedankenbilder.

Damit und vor allem in seiner Eigenschaft als imaginäre Gegenwelt zur naturalistischen und allgemein als „modern" angesehenen Welt erweist sich das malerische und zeichnerische Werk von Franz Josef Noflaner als antimodern. Wenn wir der Analyse des französischen

Menschlicher Vollmond, 1981,
WV 126

Soziologen und Philosophen Bruno Latour folgen, und unsere Gesellschaft liefert die Fallgeschichte dazu, heißt heute modern sein zu trennen zwischen vegetativem, organischem, humanem oder tierischem Leben, um diese Trennungen einer Ökonomie der Zeit und des Nutzens und generell einer Trennung von Natur und Mensch zu unterwerfen.[23] In diesem Werk aber sind diese Trennungen aufgehoben. In einer ganzen Reihe von Bildern kommt es zu einer physischen und strukturellen Verschmelzung von Menschenformen mit Formen von Natur, Berg, Pflanze, Tier. Es entstehen Geflechte aus Metamorphosen und Transformationen, Objekte der Natur wechseln ihre gewohnte Gestalt und schlüpfen in eine neue belebte Figur. Sichtbare Dinge, Lebewesen und Stimmungen stehen hierarchielos nebeneinander. Sie erweisen sich als Eruptionen einer umfassenden Ganzheit des Lebens und der Materie und sie proklamieren eine Einheit von Menschenreich und Naturerscheinung.

Der Weg einer körperlichen Mutation steht allerdings nicht jeder beliebigen Gestalt offen, und der primäre physische Schauplatz einer solchen Verwandlung ist ein weiteres Mal das Gesicht.[24] Besonders eindrucksvoll zeigt das die Arbeit mit dem Titel *Menschlicher Vollmond* (1981, WV 126). Der Erdtrabant spielt als reales astronomisches Phänomen in der Tat eine Schlüsselrolle: die Funktion als Satellit und Signal der Zeitmessung, seine Gravitation und Faszinationskraft auf den Menschen, seine Bedeutung in der Mythologie und in einer Ästhetik der Nacht. In diesem Bild aber schwebt der Mond mit menschlichem Antlitz in stockfinsterer Nacht über die Bergkulisse und staunt, wie wir ihn bestaunen.

Über die Fähigkeit zur Metamorphose verfügen weitere Gegenstände oder Orte der Natur, sie entledigen sich ihrer leblosen Hülle und nehmen eine andersartige Gestalt an, um eine menschliche Interiorität zur Schau zu stellen. Im Gemälde *Die Wiese* (1979, WV 188) verweist allein die Dominanz der Farbe Grün auf den im Titel verheißenen Lebensraum, und auch in *Bergrose* (1981, WV 174) macht erst der Titel die Transformation einer Pflanze in eine anthropomorphe und morphologisch zugleich unnatürliche Identität erfahrbar. Im Gemälde *Waldhexen* (1968, WV 31) schlüpfen lebendige Figuren in das vegetative Gehölz von Bäumen, sodass man am Ende vor lauter Gesichter den Wald kaum mehr sieht.

Gemeinsam mit der Dichtung steht hier Malerei auf halbem Weg

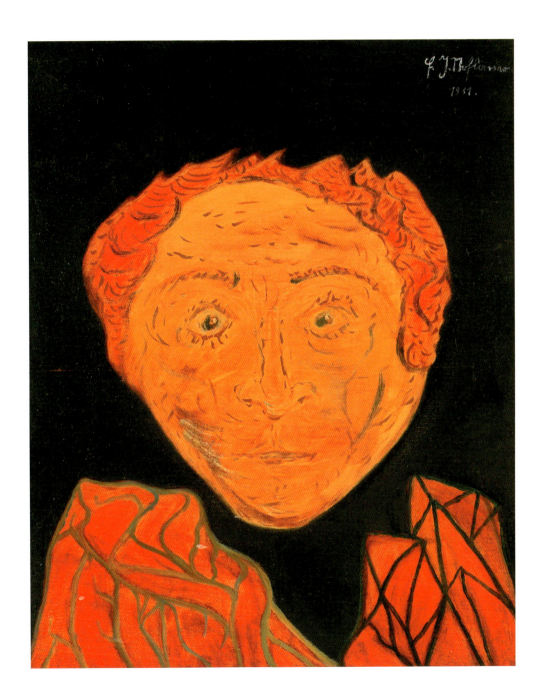

Die Wiese, 1979,
WV 188

> *Ohne Titel,* 1969,
WV 40

Waldhexen, 1968,
WV 31

zwischen der Intuition des Geistes und empirischen Beobachtungen und Reflexionen in ihrer ungeschliffenen und rudimentären Kontingenz. Was Noflaner damit entwirft, erweist sich als ein Reservat, in dem sich Erfahrungen aus dem Weltganzen und dem Leben im Tal in den Bergen zu einer unmittelbaren Anschauung verdichten: ein Lebensraum und anthropologisches Habitat nach dem Modell eines bildhaften Darwinismus mit einer weitgehend egalitären Lebensordnung. Die Gesichter und Figuren sind Wesen ohne ein persönliches oder gattungsspezifisches Profil, nicht selten treten sie im Habitus von Pflanzen oder Bergformationen in Erscheinung. Ihre provokante Verschrobenheit resultiert aus der Verbindung und Geselligkeit

Ohne Titel, 1975, WV 643

Ohne Titel, 1972, WV 635

zwischen traditionell getrennten Arten und Formen des Lebens von Menschen und Nichtmenschen.

Damit rüttelt Noflaner am festgefügten Dualismus von Kultur und Natur mit seinen abgegrenzten Formen des Lebens. Teilweise scheint die Trennung der Arten aufgehoben und an deren Stelle tritt das Szenario einer einzigen Lebensgemeinschaft, an dem wir selbst beteiligt sind und das dreißig Jahre vor Bruno Latour und Philippe Descola Erzählbruchstücke einer bildhaften Anthropologie des Geistes antizipiert.[25] Die Frage stellt sich, ob wir es als Vorleben oder als Nachleben, als Antizipation oder als Reflex des Modernen gelten lassen wollen.

Ohne Titel, 1975,
WV 646

7 Mensch und Tier

An dieser Stelle fällt der Blick explizit auf eine Grenzüberschreitung beziehungsweise Überwindung einer Trennung, die weitere Hinweise auf eine emblematische Deutung dieses Werkes zu liefern vermag. Hier stehen sich Mensch und menschliche Natur sowie Tier und tierische Natur nicht in einer definierten Rangordnung gegenüber sondern leben in einem einzigen offenen Habitat: Echsen, Kühe, Vögel, Pferde, Ziegen, Fische, Delphine, Phantasiewesen unterstehen keinem Homo sapiens, der sie domestiziert und sich über sie erhebt. Es herrscht auch nicht einfach eine friedliche Koexistenz, viel eher eine wilde oder sogar listige Komplizenschaft. Hier sind Animalisches und Humanes völlig in der Schwebe und der Mensch selbst ist mit seiner tierischen Natur versöhnt. Er kehrt zurück zu seiner Animalität. Und das wesenhaft Beseelte und Belebte findet sich auch im Vegetativen, Organischen, Relationalen. Insofern ist dieses Werk auch eine anthropologische Bildergeschichte, eine Hieroglyphe des Verborgenen, des nicht Sichtbaren und nicht Ausgesprochenen.
Noflaner aktiviert einen fabelhaften Animismus[26] in einem Kollektiv, das von unterschiedlichen Lebewesen bevölkert wird. Ihre Unterschiede lesen sich als Merkmale ihrer Autonomie, verbunden durch eine substanzielle Gemeinschaft mit den Anderen und der gesamten Materie. Der Platz in der Nahrungskette ist zwar genau determiniert durch den zugänglichen Lebensraum in der Erde, im Wasser oder in

Der Delphin

Was ist Musik, was Tanz und Wellenschlag?
Ich schwebe hin auf göttergleichen Wogen,
bald kommt die Wolke, bald der Sturm geflogen
und lustige Winde säuselt mir der Tag –
und niemals hat der Kunde mich betrogen.
So bin ich fröhlich durch das Meer gezogen.

Wie lange ist das her schon, daß ich bin?
O, ganze Zeiten, halbe Ewigkeiten
weiß ich mich tüchtig durch die Wogen gleiten;
und ohne Rast und Ruh flitzt es dahin,
mein Flossenspiel, in unbekannte Weiten,
die sich wie endlos um die Strömung breiten.

Haifisch und Walfisch säumen meine Spur!
Ich fürchte nicht den Kampf, und nicht die Klippen
und sause hin, in meinen sechzig Rippen,
ein braves Kind der tückischen Natur,
um von den Schalen Neptuns leicht zu wippen.
[...] (Bd. I, S. 23)

der Luft mittels der Organe der Fortbewegung und des Nahrungserwerbs (siehe *Meereshöhe*, 1971, WV 302). Tiere und Pflanzen leben wie die Menschen in einem Körper mit einem Gesicht und Augen und einem Gewand aus Haaren, Fell, Federn, Schuppen, sie bringen das Heterogene als komplementäre Strukturen in eine kollektive Ordnung ein.
Hier schließt sich der Kreis zwischen Menschenreich und Naturerscheinung bei Franz Josef Noflaner, allerdings ohne den Gegensatz zwischen den erkannten Einsichten aus der eigenen Lebensführung und den Möglichkeiten, diese auch umzusetzen, zu überbrücken. Daher ist alles in diesem Werk vor allem Vorstellung, Idee, Gedanke, Wunsch und steht in Kontrast zum realen Leben der Menschen und der Gesellschaft. Diese Bilder sind Werke der Imagination zwischen Traum, Wirklichkeit, Kritik und Konstruktion. Und der Dichter-Maler erscheint als Vermittler, um die Fragwürdigkeit des Lebens der Anderen zu entlarven.
Dieses imaginäre Szenario behauptet mit seinen geistigen und weltanschaulichen Insignien eine bemerkenswerte Aktualität. Es verweist auf den Kontrast zwischen der humanistisch inspirierten, moralischen Bioökologie und einer unsentimentalen Evolutionsbiologie: Idealsymbol versus Realsymbol als Spiegel der Nöte zwischen der individuellen und der sozialen Welt.

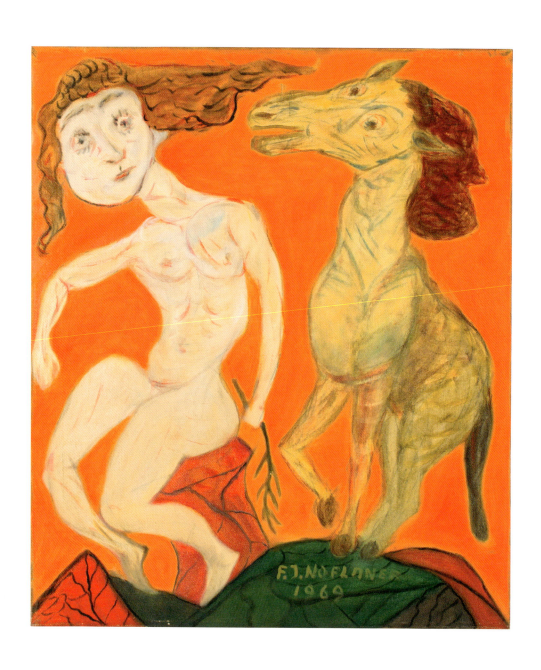

Ohne Titel, 1979, WV 133

Meereshöhe, 1971, WV 302

Unter Dingen und Tieren

Steigen laß
die Kühe in die Wolken,
wenn es Freude
gibt für diese Kühe.

Fahren laß
die Schwalben mit den Lüften,
wenn es Schwalben
gibt für diese Lüfte.

[...]

Aus der Tiefe
grunzen dunkle Säue!
Hast du Wahrheit
stirbt an ihr der Tod.
(Bd. I. S. 124)

Jedenfalls dienen Kunst und Poesie bei Noflaner nicht der Verniedlichung des Lebens, denn sie sind wie die Götter keine Einrichtung mehr, die Trost spendet. Der wuchernde Vitalismus ist die Konsequenz aus dem Leben als Quelle mit einem Ablaufdatum, und der Tod erscheint als der animierte Lebensfeind und Gewinner, er ist der „Räuber des Lebens" und der Überlebende, der sich nur der „Wahrheit" geschlagen gibt, während die Figuren – so wie der Urheber – gefangen sind im Kreislauf ihrer Welt zwischen Dichtung und Malerei: dem *Wünschen, Blicken* und *Staunen* offenbart sich alles wie es ist. Da vermag nichts zu verzaubern.

< *Ohne Titel*, 1972, WV 629

Ohne Titel, 1974, WV 138

Jugend marschiert, 1973,
WV 27

Ohne Titel, 1975,
WV 631

8 Geschichten

Neben den bildhaften Geflechten aus Gesichtern, Tieren, Pflanzen, Bergen gibt es noch einen anderen, kleineren Fundus an Werken, der sich vorwagt in die Bereiche der realen oder sozialen Welt. Im Gegensatz zum Großteil der Werke *Ohne Titel* sind bei einigen mit ihrem Titel auch Bezüge zu Fakten und Fiktionen überliefert, die an fließende Übergänge zwischen Dingen und Gedanken oder überhaupt an ein homogenes Ganzes denken lassen. Szenen aus der Gesellschaft oder Geschichte sind die Stoffe der Erinnerung und das Material für das Irreale in diesen Werken. Sie haben demnach einen hohen symbolischen Gehalt.

Die Findung und Erfindung der Geschichten in diesen Bildern erzählt vom Daseinskampf, von der Unzulänglichkeit des Realen und von Außenseitertum. Menschengruppen sind in merkwürdige Geschehnisse und Aktionen verstrickt, und meist bestaunen sie neugierig, wie wir sie betrachten. Die Figuren sind flächenfüllend und in Maßstabssprüngen zu einem Netz verwoben, Landschaftliches und Städtisches stehen nebeneinander, ebenso Innenwelten und Außenwelten. Und die Rückbindung des Malens an die eigene Biografie ist mit der Signatur „Franz J. Noflaner" allgegenwärtig, da und dort taucht sein

Klerisei, 1971,
WV 77

Adenauer und seine Getreuen, 1973,
WV 58

Geburtsdatum auf: „9.9.1904", so in den Werken *Jugend marschiert* (19/3, WV 27) und *Der Schlangenträger* (1973, WV 84).[27] Und das Gemälde *Klerisei* (1971, WV 77) verarbeitet eine Thematik auf dezidiert kritische Weise; der Titel mit der veralteten und abwertenden Bedeutung für Klerus benennt die Metamorphose einer geistlichen Person mit Kolar in eine Gebäudefassade, die sich einfügt zwischen Türme und Giebelhäuser einer Stadtansicht. Vereinzelt tauchen auch politische oder geschichtliche Spuren auf, etwa bei *Adenauer und seine Getreuen* (1973, WV 58), oder Chiffren der modernen Zeit in der Kugelschreiberzeichnung *Autobahn* von 1975 (WV 614), einer Persiflage auf die erst kurze Zeit zuvor eröffnete Brennerautobahn.

Wie sehr ein Erregungscharakter auch mit einem Ereignisgehalt verbunden ist,[28] erkennt man an Werken, die Bildhaftes mit Sprachlichem, Poetischem und Gedanklichem vernetzen. Das gilt für die zuletzt genannten und auch für *Babylon* (1975, WV 603) und *In kleinen Dingen* (1975, WV 633). Hier fließen gesteigerte träumerische oder biblische Motive ein in Reaktionen auf die Fortschrittseuphorie und

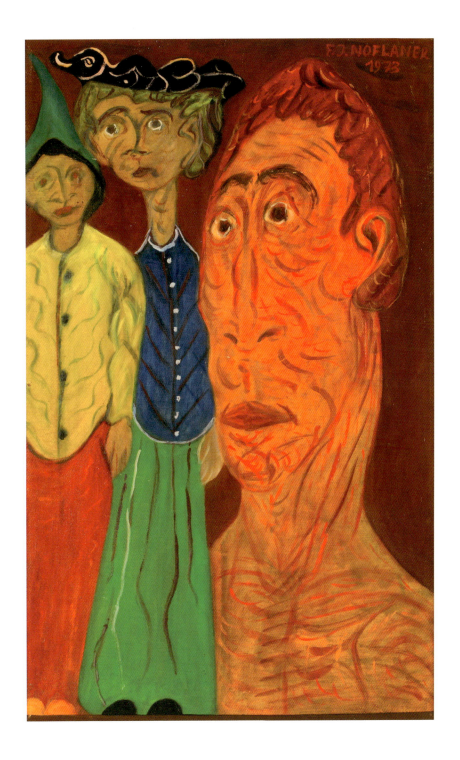

Autobahn, 1975,
WV 614

Technologieprognose der Zeit, wie sie Noflaner Jahre zuvor in satirisch-surrealem Ton in seinen futurologischen Texten über *Fliegende Teller* (Bd. I, S. 215) anklingen lässt.
Die Essenz dieser Malerei wird hier noch einmal in erlebnisdichten Episoden und Geschichten ausgebreitet. In ihnen offenbaren sich die Abgründe zwischen der Existenz des Dichter-Malers und dem Leben

Babylon, 1975,
WV 603

der Anderen, sie lenken den Blick hinter die Fassade der Realität auf die Macht der Imagination: Augen, Blicke, die staunen, skurrile Gesichter und Fratzen, koboldartige Figuren, Geschöpfe, Frauenbilder als Hexen oder Engel, Flora und Fauna menschlich animiert, Berge, Bäume, Wolken, Pflanzen und Fabelwesen. Da gerät die eigentliche Welt zur verkehrten Welt.

In kleinen Dingen, 1975, WV 633

IN WENN
KLEINEN SIE
DINGEN KLEIN
GROSSE SIND
SEELE SCHWEIGEN
ZEIGEN – IM
UND VON ERDEN-
DEN REIGEN
TRÄUMEN F.J.N.

9 Wenn Bilder uns betrachten

Hier zeichnet sich ab, dass wir dem Ergebnis einer Anstrengung nachspüren, das bemüht ist uns in Bildern der Malerei und Poesie zu zeigen, was in klaren Begriffen nicht gesagt werden kann. Dabei dürfen wir uns die Anleitung Hans Blumenbergs zu einem Verständnis der Liquidität des Wassers und die Metapher vom *Schiffbruch mit dem am sicheren Lande mächtig ergriffenen Zuschauer* zu Nutze machen[29] um festzustellen, dass eine ähnlich triftige Bedeutungslast und irritierende Präsenz auch von Bildern ausgeht, die *wünschen, blicken* und *staunen*.

Das liegt am ambivalenten Angebot, sie als Werkzeuge der Selbsterhaltung wie der Fremderfahrung zu nutzen. Wir in unserer Zuschauerdistanz treffen auf lebendige Bilder des versäumten Lebensglücks eines „Schiffsbrüchigen". In diese Bildwerke sind die Spuren seiner Irrfahrten und elementaren Realitäten eingeschrieben, und in den Menschenbildern konkretisiert sich, was sich an Seelenzuständen und Sehnsüchten aufgestaut hat: der Blick der Gesichter auf das Blicken, das Schauen auf das Schauen, die Frau mit der Maske, der Mensch als Teil in einem Flechtwerk und als Halbporträt des nackten Daseins.

Aber der systematischen Arbeit des Dichter-Malers an einer bildsprachlichen Begegnung mit uns, dem Publikum, zu folgen, erschöpft sich nicht in einer Identifizierung des Urhebers. Die Einheit des Autors und die Rolle des Vermittlers von Botschaften sind auf vielschichtige Weise ambivalent und erweisen sich gleichzeitig als Empfängerposition. Welches Szenario sich in der Auflösung des Subjekts und Verflüchtigung des poetischen Sprechers abzeichnet, wird im Beitrag von Elmar Locher im Band I dieser Edition ausgebreitet. Und in der Malerei treffen wir auf eine ähnliche Fragmentierung der Positionen des Malers und seiner Figuren im Spiegelblick der jeweils Anderen. Es ist ein Geflecht zwischen personalen Akteuren, Rollen, Prozessen, dem Individuum Franz Josef Noflaner, dem Dichter, dem Maler, den Sprechern in den Texten, den Figuren in den Bildern, den Lesern, den Betrachtern.

Damit allerdings erscheint auch die Position des Zuschauers gefährdet,[30] so wie es zuvor bereits jene des erzählenden Subjekts ist. Als Adressaten sind wir zugleich Antagonisten dieser Figuren am Schauplatz der Wünsche und Blicke, mit denen sie sich an uns heften, so wie sie zuvor Franz J. Noflaner mit seinen obsessiven Eigenschaften zusammengehalten haben. Wir sind zwar nicht in dieselben empirischen Geschehnisse verstrickt, aber wir sind als Augenzeugen den ergreifenden Sensationen ausgeliefert. Wir werden in unserer Unbetroffenheit, die Teil der Anschauung ist, zum Objekt dieser Wünsche und gierigen Blicke und müssen in unserer Hilflosigkeit dem Treiben dieser Gestalten dauerhaft zuschauen.

Die Identität der Menschenbilder als Schauende und Angeschaute ist eingefasst in das Netzwerk einer Welt und ihrer bildhaften Gegenwelt inmitten jener nachhaltigen Bedrängnis des Lebensglücks im Alltag des Malers und Dichters. Es sind das jeweils Erfahrungen eines Doppellebens von Subjekten und Objekten inmitten von Naturkräften und Mächten in einer unbeherrschten Welt, frei und fremd aller Selbstherrschaft. Es stellt sich die Frage, ob wir es sind, die Aug in Aug den gemalten Figuren und Gesichtern gegenübertreten oder nicht viel mehr sie selbst zusammen mit dem Schiffbrüchigen zu Zuschauern geworden sind, die auf unsere Unbetroffenheit blicken.

Es sind bildhafte Ansichten der Erkenntnis, dass es einen festen Standort mit einem Dasein in törichter Freude ohne Gefahr nicht gibt. Die Figuren in den Bildern von Franz Josef Noflaner pochen mit ihren insistierenden Blicken auf eine strukturelle Überwindung der Trennung zwischen Bild und Realität: wir sollen die Ordnung erkennen, die ihrem Sein zugrunde liegt, wir aber bemerken, dass wir selbst Teil dieser Ordnung sind. Diese Bilder konfrontieren uns mit der Frage nach der Objektivität von Erfahrungen und dass es einen Standort als Betrachter außerhalb der Welt der Figuren nicht gibt. Wir betrachten und werden betrachtet von den Betrachteten.

Anmerkungen

[1] Siehe dazu: Werner Pescosta, *Geschichte der Dolomitenladiner*. Istitut Ladin Micurá de Rü, Sankt Martin in Thurn 2013, S. 345.

[2] Über die Leistungsfähigkeit von Sprachbildern siehe: Hans Blumenberg, *Ausblick auf eine Theorie der Unbegrifflichkeit*. In: Hans Blumenberg, *Schiffbruch mit Zuschauer*. Frankfurt am Main 2014, S. 85–106; ebenso Bernhard Waldenfels, *Von der Wirkkraft der Bilder*. In: Gottfried Boehm u. a., *Movens Bild. Zwischen Evidenz und Affekt*. München, Paderborn 2008, S. 47–63.

[3] In zahlreichen Texten Noflaners finden sich terminologische und gedankliche

Spuren einer ausgiebigen Nietzsche-Rezeption. Das betrifft seine dualistische Ästhetik des Dionysischen und Apollinischen und vor allem die Theorien „Aus der Seele der Künstler und Schriftsteller" in: *Menschliches Allzumenschliches*, Stuttgart 1978, S. 135–182. Bedeutsam ist ebenfalls die Lektüre von Oswald Spengler.

4   Die Beschäftigung mit grundlegenden Schriften sowie mit Quellen aus der Sekundärrezeption von Heidegger und Sartre ist unübersehbar. Erwähnt seien hier die Fragen nach dem Sein und der Existenz und die daraus resultierenden Widersprüche zu seiner eigenen Daseinsbestimmung.

5   Hugo Friedrich, *Die Struktur der modernen Lyrik*. Hamburg 1967, S. 36. Beispielhaft die Berührungspunkte zu Baudelaire oder zu Gottfried Benns Lehre vom Zerfall des Ich liegen auf der Hand.

6   Dazu: Katharina Moling, *Studien zu Franz Josef Noflaner (1904–1989). Portrait und Werkverzeichnis*. Magisterarbeit, eingereicht am Institut für Kunstgeschichte, Universität Wien 2016, S. 15. Zahlreiche Anekdoten in der Überlieferung von Freunden bestätigen einvernehmlich auch eine Dosis Ruhmsucht dabei.

7   Das ergibt eine Überprüfung der Teile aus der Bibliothek von Franz Noflaner, die sich bis heute im Besitz von Irene Bergmeister-Noflaner, einer Schwägerin, und von Sandra Perathoner, einer Nichte von Franz Noflaner befinden.

8   Katharina Moling, (wie Anm. 6), S. 32, bemerkt, dass noch weitere Arbeiten Spuren eines Selbstporträts aufweisen, beispielsweise WV 19, WV 95.

9   Zum Paradox der Repräsentation einer Abwesenheit oder Stellvertretung in Porträts siehe Hans Belting, *Faces. Eine Geschichte des Gesichts*. München 2013, S. 12 f.

10   Jörg Villwock, *Wiederholung und Wende. Zur Poetik und Philosophie eines Weltgesetzes*. In: Carola Hilmes/Dietrich Mathy (Hrsg.), *Dasselbe noch einmal: Die Ästhetik der Wiederholung*. Opladen 1998, S. 14.

11   Belting (wie Anm. 9), S. 16.

12   Auf den Einfluss des Leidensdrucks auf die Malerei von Franz Noflaner weist der Grödner Künstler Leander Piazza (geboren 1950) hin, er berichtet von Gesprächen und gemeinsamen Reisen, beispielsweise nach Paris, und zitiert Noflaner: „Die Arbeit an meiner Malerei ist eine emotional und geistig sehr aufreibende Tätigkeit, nicht körperlich, aber psychisch."

13   Zum Begriff „Erregungsbilder" siehe: Bernhard Waldenfels (wie Anm. 2) 2005, S. 57.

14   Über die Wiederholungsfiguren in der Literatur siehe: Wolfgang Kemp, *Schon wieder. Zwanghaft wiederholte Begegnungen im Werk von Rosamunde Pilcher und Leo Tolstoi*. In: „Merkur. Deutsche Zeitschrift für europäisches Denken", Heft 794, Berlin Juli 2015, S. 5–19.

15   Hier sei auf die Sentenz „Individuum est ineffabile" und auf aktuelle Theorien über die Nichtfassbarkeit von Individuen verwiesen, beispielsweise bei Franz von Kutschera, Ästhetik. Berlin, New York ² 1998, S. 49.

[16] Siehe dazu die Hinweise von Markus Landert in seinem Beitrag zu diesem Band.

[17] *Die Bibel. Deutsche Ausgabe der Jerusalemer Bibel*, hrsg. von Diego Arenhovel u.a., Freiburg, Basel, Wien 1968, S. 15. In der Dichtung und Malerei von Franz Josef Noflaner gibt es zahlreiche Belege für eine gründliche Rezeption biblischer Bildwelten.

[18] Zu den Einflüssen aus der Rezeption von Werken von Picasso, Van Gogh, Matisse, Chagall u.a. siehe Katharina Moling (wie Anm. 6), S. 36 f; ebenso Markus Landert in diesem Band.

[19] Über den Zusammenhang von Intensität des Ausdrucks und Verzicht auf Individualität siehe Hans Belting (wie Anm. 9), S. 58 f.

[20] Vgl. Hans Belting (wie Anm. 9), S. 118 und 214 f.

[21] Die Anregung zu einer anthropologischen Deutung der Schöpfungsgeschichte und des Sündenfalls verdanke ich Philippe Descola, *Jenseits von Natur und Kultur.* Berlin 2011, S. 264.

[22] Immanuel Kant, *Kritik der praktischen Vernunft*. Hrsg. von Michael Holzinger. Berlin 2013, S. 300.

[23] Bruno Latour, *Wir sind nie modern gewesen*. Frankfurt 2008, insbesondere Seite 64 f. Mit seinem Befund, dass die Modernen „Opfer ihres Erfolgs" (S. 67) wurden und eigentlich gar nicht modern seien, erhärtet er den Illusionseffekt der großen Trennungen und die Notwendigkeit einer Integration von Natur und Kultur innerhalb komplexerer Netze.

[24] Über den Zusammenhang von Gesicht und Metapher vgl. Hans Blumenberg, *Ausblick auf eine Theorie der Unbegrifflichkeit* (wie Anm. 2), S. 89.

[25] Gemeinsam mit Bruno Latour war und ist es vor allem Philippe Descola, der mit seinem Werk *Jenseits von Natur und Kultur*. Berlin 2011, einen grundlegenden Beitrag zu einer entlarvenden Repräsentation unseres neuzeitlichen „modernen" Weltbildes geliefert hat.

[26] Philippe Descola hat diesen Begriff aus seiner diskreditierten Vergangenheit gelöst und als terminologisches Werkzeug für eine Revision der Beziehungen zwischen Mensch und Natur neu formatiert. Ebenda S. 197.

[27] Dazu auch: Katharina Moling (wie Anm. 6), S. 33.

[28] Zur Struktur von „Erregungsbildern" und „Ereignisbildern" siehe Bernhard Waldenfels (wie Anm. 2), S. 57.

[29] Eine Beschäftigung mit dem Werk von Franz Josef Noflaner wäre in der vorliegenden Form ohne die Beiträge von Hans Blumenberg zur Erforschung der Metaphern undenkbar. Vgl. dazu: *Schiffbruch mit Zuschauer* (wie Anm. 2); außerdem Hans Blumenberg, *Quellen, Ströme, Eisberge*. Hgg. von Ulrich von Bülow und Dorit Krusche, Berlin 2012.

[30] „Der Zuschauer verliert seine Position", in: Hans Blumenberg, *Schiffbruch mit Zuschauer* (wie Anm. 2), S. 65.

Ausgewählte Werke

Die folgende Werkauswahl vermittelt eine repräsentative Übersicht über die thematischen Aspekte des zeichnerischen und vor allem des malerischen Werkes von Franz Josef Noflaner. Hier wurden die Werkangaben auf Titel, Jahr und Werkverzeichnisnummer beschränkt. Alle Werke sind im Werkverzeichnis mit den vollständigen Angaben angeführt.

Ohne Titel, 1982,
WV 261

Ohne Titel, 1984, WV 206

Ohne Titel, 1974, WV 298

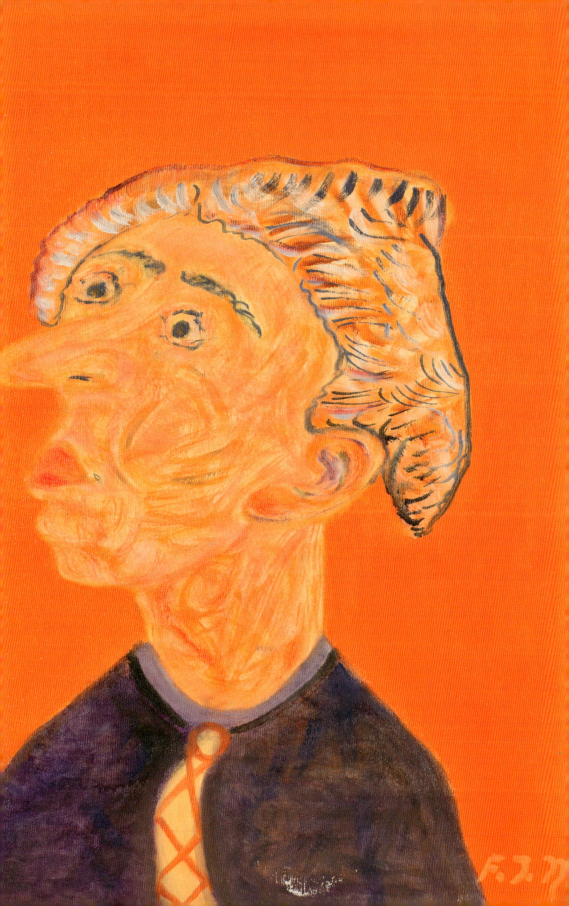

Ohne Titel, 1968,
WV 212

Ohne Titel, 1975,
WV 637

Ohne Titel, 1975,
WV 648

1975, 1975,
WV 644

Ohne Titel, undatiert,
WV 15

>> *Ohne Titel*, 1969,
WV 252

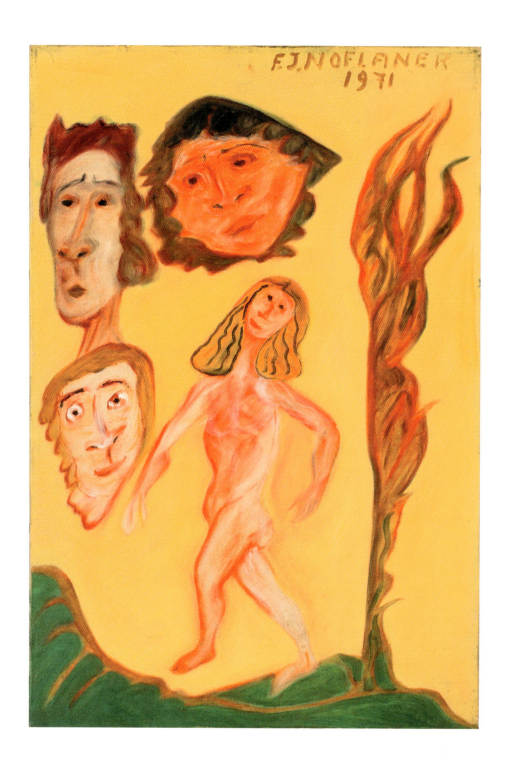

<< *Hochfliegende Träume,* 1971,
   WV 288

< *Ohne Titel,* 1971,
   WV 283

Macht der Musik, 1979,
WV 70

Jungfräuliche Plantage, 1979, WV 71

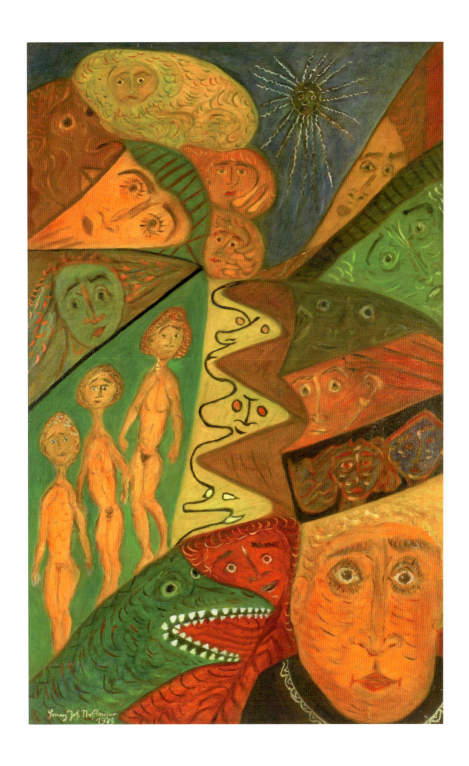

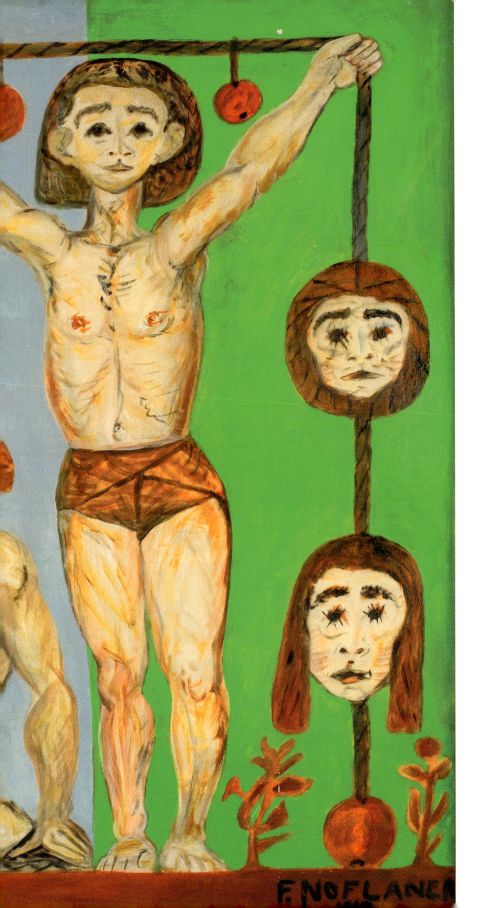

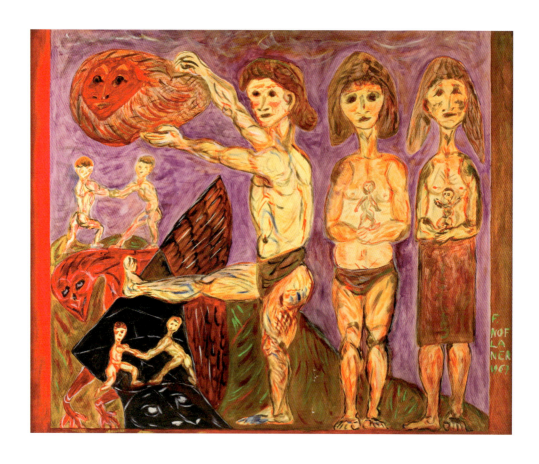

<< *Ohne Titel*, 1969,
WV 23

Ohne Titel, 1967,
WV 34

Ohne Titel, 1967,
WV 35

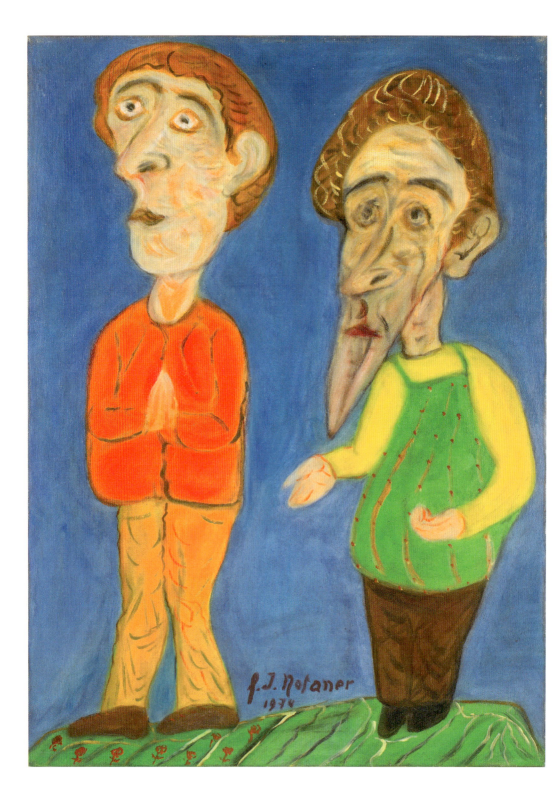

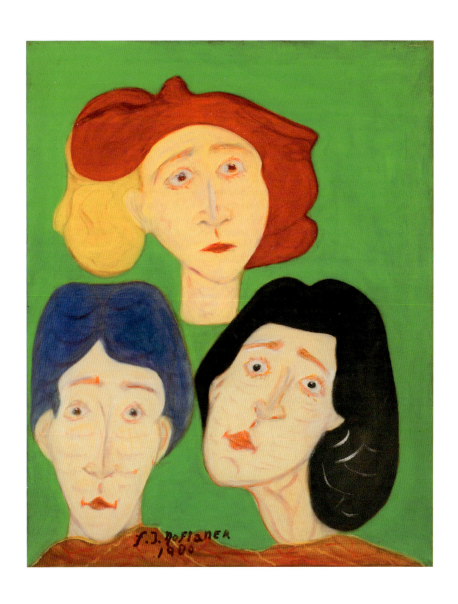

Ohne Titel, 1974,
WV 159

Ohne Titel, 1980,
WV 312

Titel nicht lesbar, 1981,
WV 172

Gletscherspuren, 1981,
WV 129

Ohne Titel, 1975,
WV 187

Ohne Titel, 1971,
WV 323

> *Ohne Titel*, 1971,
WV 190

>> *Ohne Titel*, 1970,
WV 38

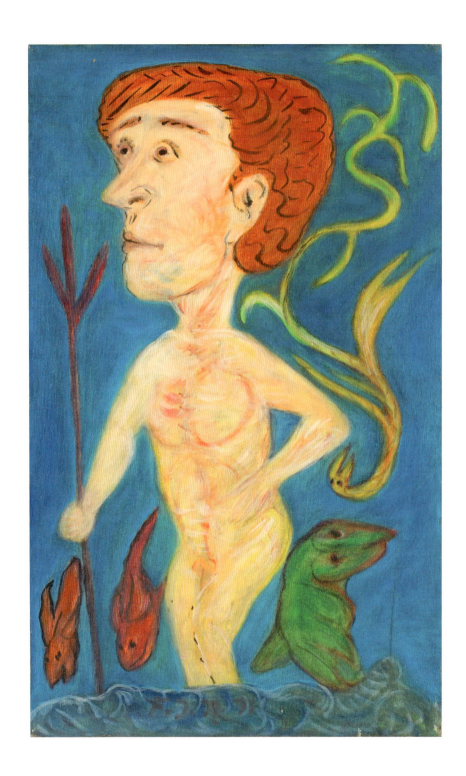

<< *Ohne Titel,* 1969,
   WV 292

< *Leben im Sumpf,* 1974,
   WV 337

Ohne Titel, 1975,
WV 653

Ohne Titel, 1975,
WV 654

<< *Ohne Titel,* 1970,
    WV 46

Ohne Titel, 1968,
WV 66

Ohne Titel, 1984,
WV 178

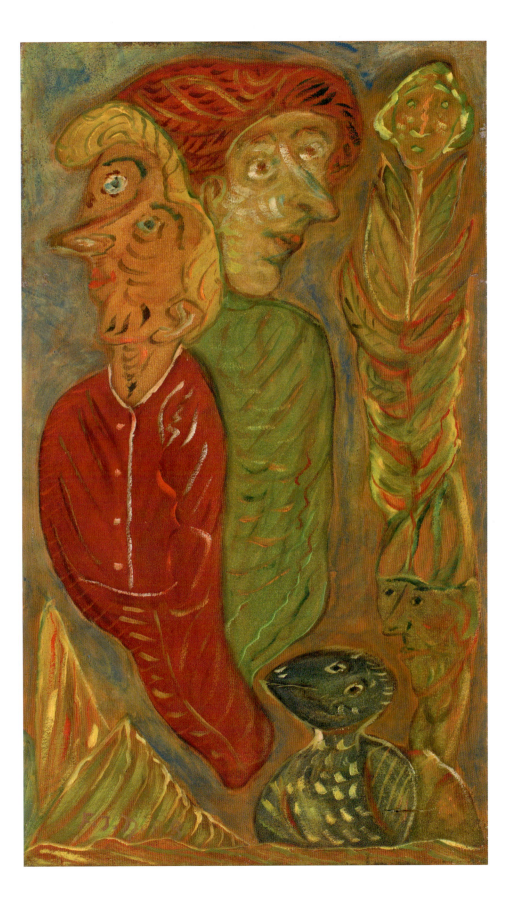

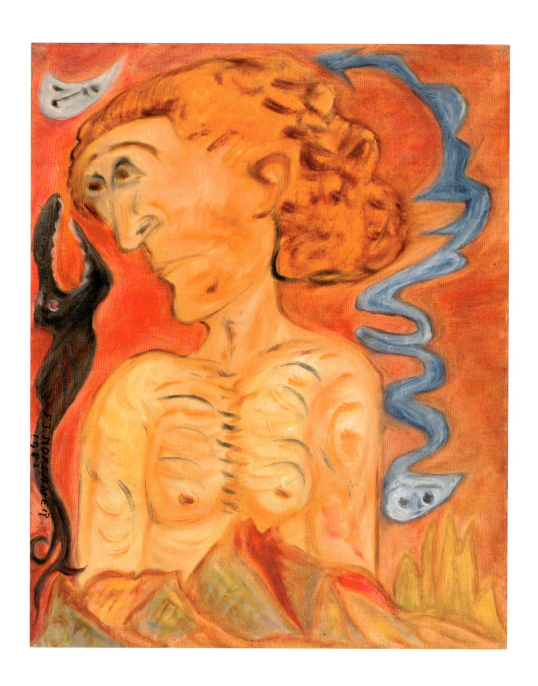

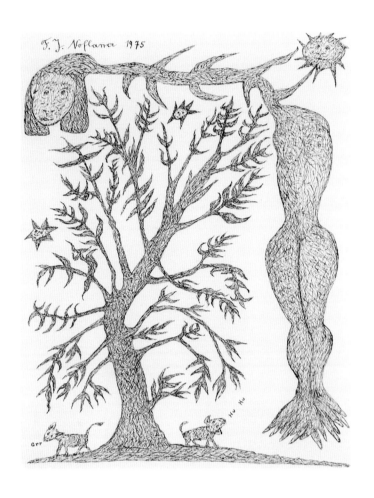

Ohne Titel, 1983,
WV 150

Ohne Titel, 1975,
WV 604

Mitten im Vulkan, 1981, WV 315

Ohne Titel, 1974, WV 270

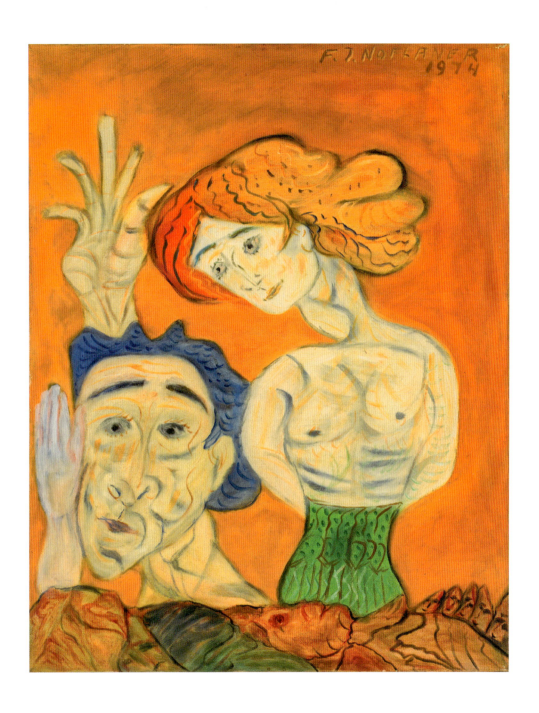

Ohne Titel, 1969,
WV 10

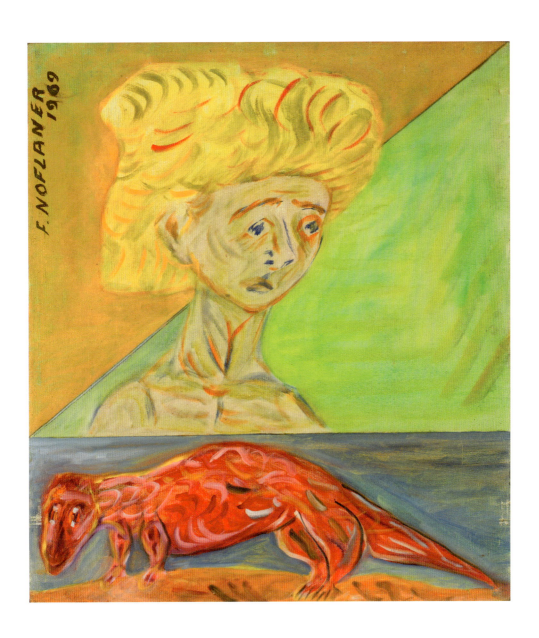

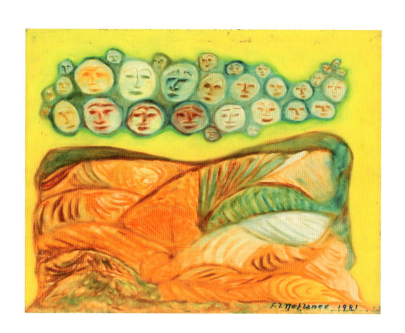

Ohne Titel, 1981,
WV 12

BR-GRZ 1, 1980,
WV 26

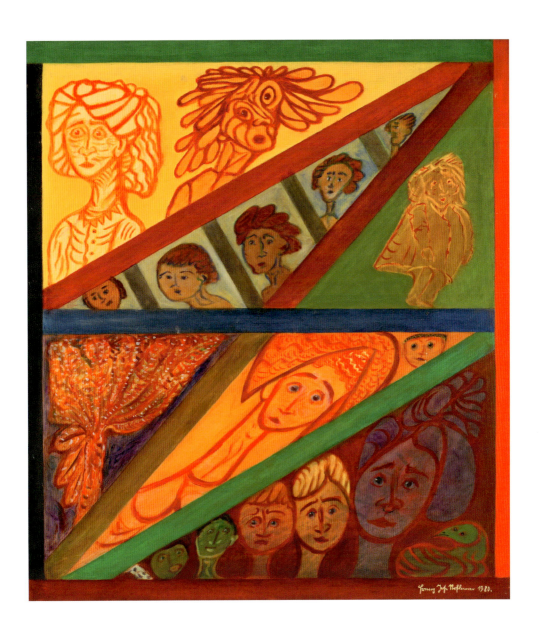

Ohne Titel, 1970, WV 327

Ohne Titel, 1975, WV 656

Ohne Titel, 1975,
WV 641

Ohne Titel, 1972,
WV 636

Ohne Titel, 1968,
WV 32

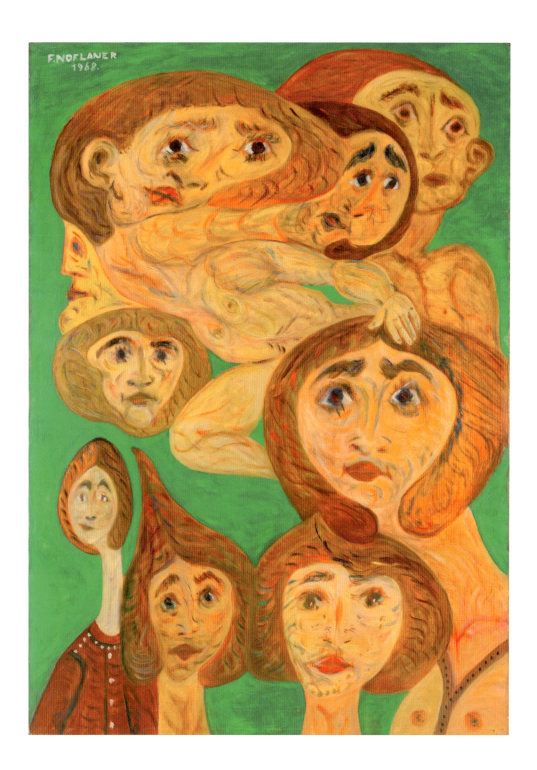

Ohne Titel, 1978,
WV 85

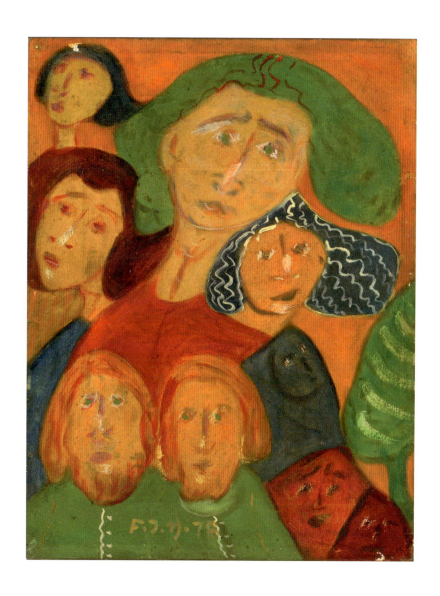

Ohne Titel, 1969,
WV 177

Vor dem Konzert, 1973,
WV 370

Ohne Titel, 1975, WV 615

Ohne Titel, 1975, WV 642

138   *Ohne Titel*, 1975,   *Ohne Titel*, 1968,
       WV 640   WV 340

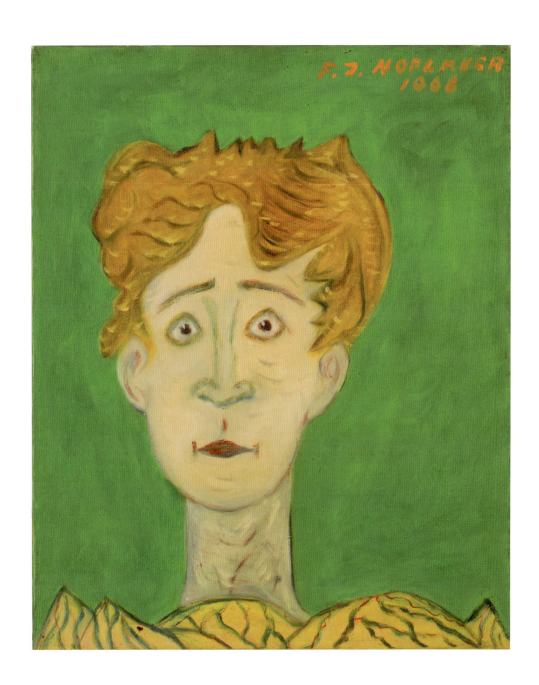

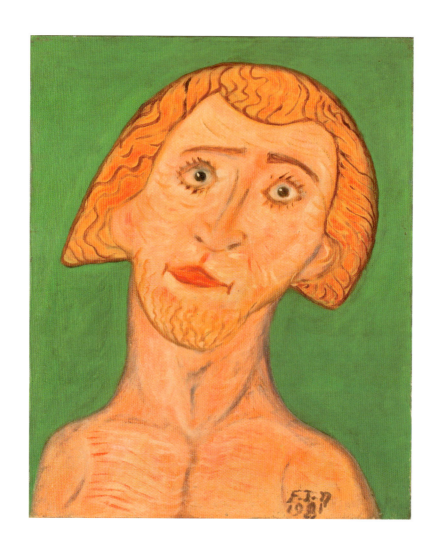

Ohne Titel, 1981,
WV 220

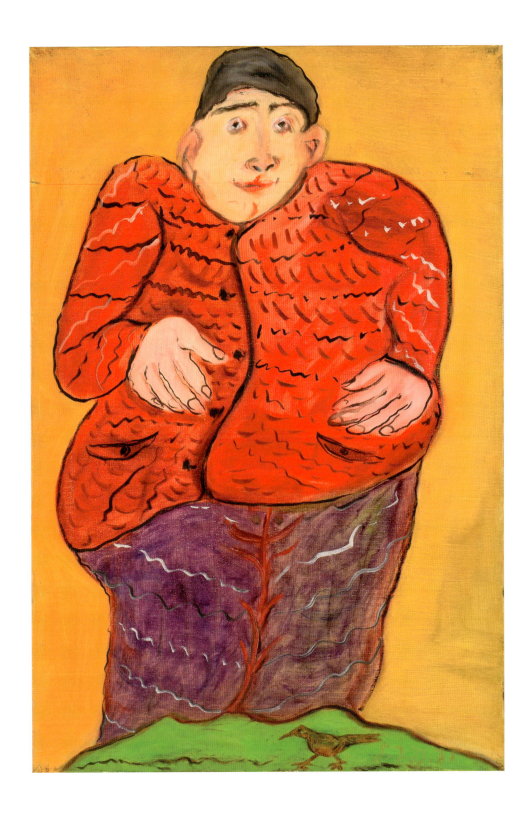

Ohne Titel, 1972,
WV 135

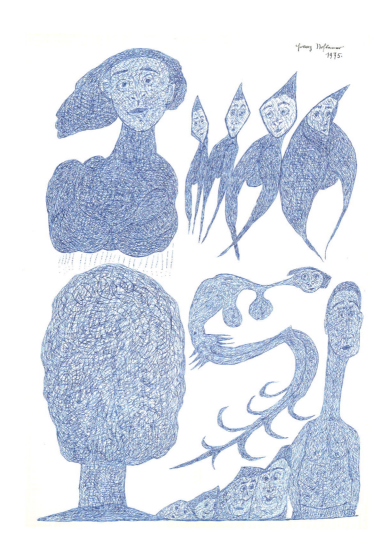

Ohne Titel, 1975,
WV 632

Ohne Titel, 1975,
WV 645

Ohne Titel, undatiert,
WV 516

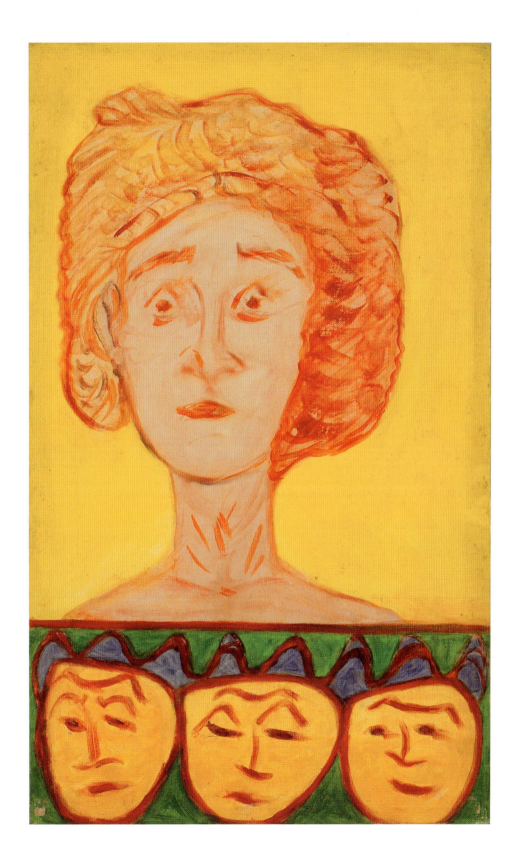

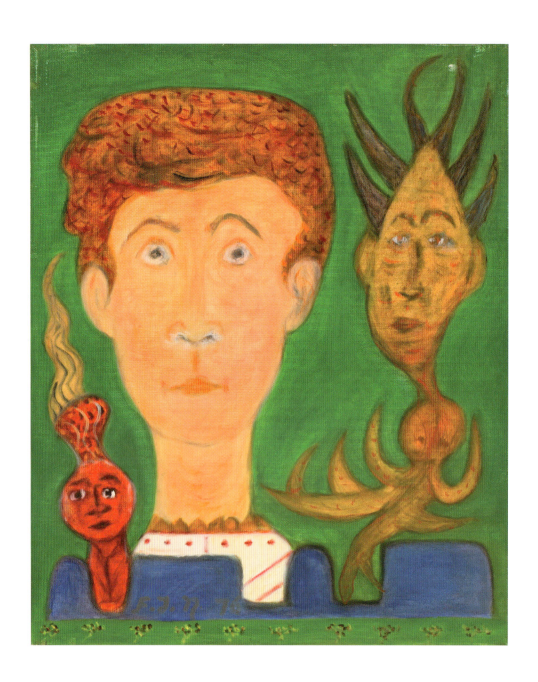

Ohne Titel, 1976,
WV 219

<< *Ohne Titel*, 1974,
WV 223

Ohne Titel, 1983,
WV 502

Ohne Titel, 1969,
WV 319

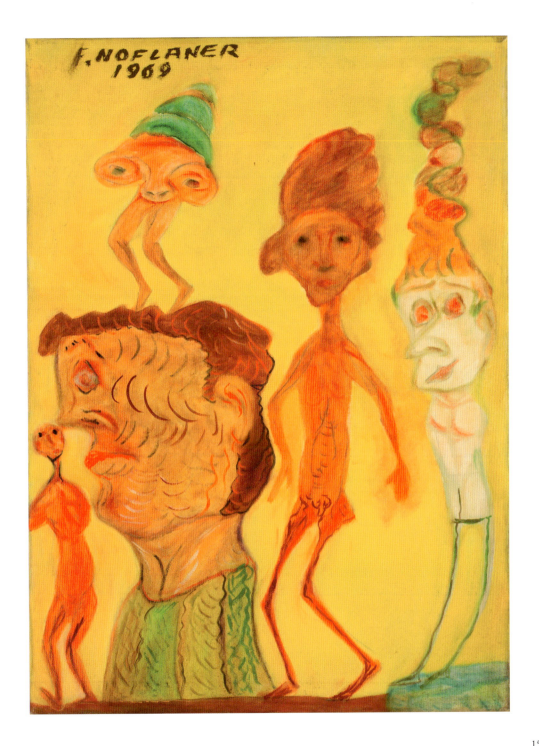

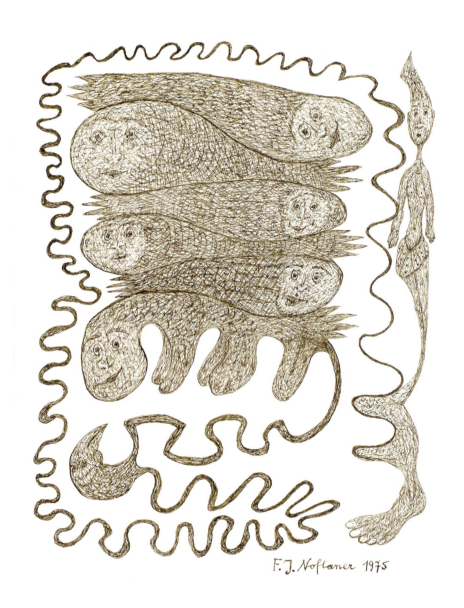

Ohne Titel, 1975,
WV 655

Die Welt als surreales Theater

Franz Josef Noflaner, *Große Taube,* 1973, WV 78

Markus Landert

Franz Josef Noflaner: Die Welt als surreales Theater

An der Beerdigung von Franz Josef Noflaner am 17. Mai 1989 auf dem Friedhof von St. Ulrich in Gröden fasst der Bildhauer Josef Kostner das Leben des Verstorbenen schnörkellos zusammen: „St. Ulrich hat mit Franz eine sehr originelle Persönlichkeit verloren. Freilich, die meisten Leute haben von ihm nicht viel Notiz genommen. Seine Bücher haben wenige gelesen und seine Bilder waren nur einmal ausgestellt. […] Die meisten haben ihn für einen Spinner gehalten."[1] Für die Künstler von St. Ulrich hatte Franz Josef Noflaner (1904–1989) allerdings Vorbildcharakter gehabt. Für die Nachgeborenen scheint er eine Art Modell des freien Künstlers gewesen zu sein. Neben dem bereits genannten Josef Kostner (* 1933) äußern sich denn auch Markus Schenk (* 1951), Franz Schrott (1946–2008) und Markus Vallazza (* 1936) in einem kurz nach Noflaners Tod gedrehten Film dahingehend, dass der Verstorbene eine äußerst anregende Persönlichkeit gewesen sei, deren Werk es noch zu entdecken gälte. „Franz Josef Noflaner war und blieb für mich, seit ich ihm begegnet bin, eine Art Leit- beziehungsweise Begleitfigur, will sagen: ein Vorbild", meint etwa der Zeichner und Radierer Markus Vallazza. „Wenn ich bedenke, dass sich in einem alles eher als kunst- und kulturfreundlichen Ambiente eine künstlerisch so ausdrucksstarke und eigenwillige Künstlerpersönlichkeit entwickeln konnte, bin ich fast dazu geneigt, an eine Art Wunder zu glauben, denn nichts – ich betone: nichts – kam im Goldgräbereldorado, zu Deutsch: im Grödnertale seinen künstlerischen Bedürfnissen entgegen. Über Jahrzehnte hinweg wurde er nur mitleidig belächelt. […] Es muss wohl seine Besessenheit gewesen sein, die seine künstlerische Laufbahn bestimmt haben mag."[2] Diese Aussagen seiner Künstlerfreunde skizzieren das kulturelle Umfeld, in dem das bildnerische Schaffen von Noflaner wurzelt. Da ist das Grödnertal mit seiner jahrhundertelangen und reichen Tradition

einer kunsthandwerklichen Bildhauerei, aus der immer wieder herausragende Künstler hervorwuchsen: eine gute Voraussetzung eigentlich für eine Künstlerkarriere, wenn mit dieser Tradition nicht auch die engen kunsthandwerklichen Vorstellungen einhergingen über Mittel und Aufgaben der Kunst, die im Spannungsfeld von Heiligenfigur und Gartenzwerg vor allem auch Erwerbszweck ist. Gerade die Generationen nach dem Zweiten Weltkrieg versuchten sich – nicht nur im Grödnertal – diesen Vorgaben immer mehr zu entziehen. In diesem gleichermaßen befruchtenden wie beengenden Kontext schrieb und malte Noflaner während Jahrzehnten. Er entzog sich der kunsthandwerklichen Arbeit in der Werkstatt seines Vaters und begann seine eigene Vorstellung kreativen Schaffens zu legen. Er wurde zum unverstandenen Außenseiter selbst im Umfeld der Kunstszene, zwar bewundert für seine Eigenständigkeit und Freiheit, verehrt für sein Durchhaltewillen und seine Kompromisslosigkeit, aber weitgehend ohne Wirkung und Resonanz. So gibt es kaum Kommentare von Zeitgenossen zu seinen Arbeiten. Ebenso fehlen Hinweise des Künstlers selbst zu seinen Bildwelten. Kurz, Noflaners Werk ist ein unbeschriebenes Blatt, dessen Wirkung immer wieder befeuert und gestört wird durch die Unkonventionalität ihres Erzeugers.
Als er mit dem Malen begann, war Noflaner schon über sechzig Jahre alt. Als älteste Datierung findet sich im Werkverzeichnis von Katharina Moling[3] das Jahr 1967[4]. Laut Aussagen seines Freundes Markus Vallazza soll sich Noflaner Mitte der sechziger Jahre plötzlich für die Malerei interessiert haben, weil er sich da mehr Erfolg und mehr Anerkennung von Seiten der Öffentlichkeit wie bei seiner schriftstellerischen Tätigkeit versprochen haben soll[5]. Mit der Berühmtheit als Maler wollte es allerdings auch nicht klappen, obwohl ab den späten siebziger Jahren die Malerei in der internationalen Kunstszene nach einer jahrzehntelangen Zentrierung der Aufmerksamkeit auf Konzept- und Minimalkunst wieder vermehrte Aufmerksamkeit genoss, ja sogar ein „Hunger nach Bildern"[6] ausgerufen wurde. Noflaners Werk – oder war es vielleicht seine Person? – war zu abseitig, um die Aufmerksamkeit des immer schneller drehenden Kunstmarktes erregen zu können. Aber vielleicht verirrte sich auch einfach kein Kunstscout in dieses abgelegene Tal in Südtirol, das ja auch höchstens mal als Austragungsort von internationalen Sportwettkämpfen in den Fokus von Fernsehen und Weltpresse gelangt. Noflaner war und blieb

Franz Josef Noflaner,
Titel nicht lesbar, 1981,
WV 172

eine lokale Berühmtheit ohne Erfolg, deren Bedeutung sich auf die kleine deutschsprachige und ladinische Kulturszene des Alpentales beschränkte.

Ohne Rücksicht auf die fehlende Resonanz malte Franz Josef Noflaner bis zu seinem Tod 1989 an die 400 Bilder[7] auf Leinwand oder Pressspanplatten. Zudem entstand eine größere Anzahl an Kugelschreiberzeichnungen. Durch Datierungen gesichert ist eine Schaffenszeit von 1967 bis 1984. Ob in den Jahren vor seinem Tod noch Werke entstanden sind, ist nicht bekannt. Bei den gemalten Werken handelt es sich meist um mittlere Formate, deren Höhe oder Breite 100 cm nicht überschreiten. Fünf Bilder im Museum Gherdëina in St. Ulrich weisen eine Bildhöhe von 205 cm auf, bilden allerding eine Ausnahme. Ansonsten beträgt die maximale Bildhöhe 130 cm. Kleine Bilder 20 × 25 sind ebenfalls selten. Standardformate 50 × 40 und 50 × 60 finden sich dagegen viele.

Der Werkkörper von Noflaner ist recht homogen. Es lassen sich kaum stilistische Veränderungen bemerken. Die älteren Bilder sind eher in Braun- und Rottönen gehalten. Ab den siebziger Jahren verwendet der Künstler dann vermehrt auch reine, leuchtende Farbenklänge: Gelb, Blau, Grün oder Orange. Ansonsten baut er seine Kompositionen durchgehend flächig auf, oft auf einem monochromen Hintergrund. Obwohl er mit dem Pinsel arbeitet, ist seine Ausdrucksweise eher jene eines Zeichners. Um Haare, Gesicht oder einen Körper zu modellieren, setzt er nicht malerische Mittel, sondern Striche und Schraffuren ein. Immer wieder werden Körper von einer Linie eingefasst und so vom Hintergrund abgehoben. Auffällig ist die Linearität der Malerei vor allem bei den Landschaftsbildern, in denen die Berge aus einzelnen, klar umrissenen Landschaftselementen zusammengefügt werden (WV 171 und 172). Die Landschaft ist nicht eine malerische, atmosphärische Erscheinung, ein Flimmern von Farben und Tonwerten wie bei den Impressionisten, sondern ein lineares Konstrukt, in dem die Naturelemente in Form eines Zeichens oder Symbols auf den Hügel oder die Landschaftsformation hinweisen.

Franz Josef Noflaner, *Ohne Titel*, 1971, WV 620

Louis Soutter, *Le miroir, le fard et les plis*, 1934, Zeichnung; Fondation le Corbusier, Paris

Ein Blick auf die Arbeiten auf Papier macht deutlich, wie sehr Noflaner in seiner künstlerischen Auffassung eigentlich ein Zeichner ist. Mit dem feinen Gestrichel des Kugelschreibers vermag er eine Differenzierung der Körper und Gesichter zu erreichen, die seinen Malereien oft abgeht. Unbelastet von den technischen Schwierigkeiten der Ölmalerei kann Noflaner hier seine Figuren und Objekte in jeder Größe und Feinheit aufs Papier stricheln und krabbeln, wobei sich die Motive wie feinste Scherenschnitte vom weißen Blatthintergrund abheben (Beispiel WV 620). Das Gewirr der feingesponnenen Linien evoziert eine Intensität, jene vertiefte Konzentration, die seine Zeitgenossen als Besessenheit beeindruckt haben muss. Das Stricheln und Schraffieren, das ornamentale Linienziehen und das freie Spiel der Formen lädt die Blätter mit einer Dichte auf, in der sich Noflaners spannungsvoller Dialog zwischen den auf dem Papier entstehenden Formen und dem lebendigen, kreativen Geist am klarsten fassen lässt.

Aufschlussreich ist ein Vergleich von Noflaners Zeichnungen mit frühen Arbeiten von Louis Soutter. Hier wie dort werden die Figuren durch ein feines Gestrichel erzeugt, in dem sich die Intensität des Gestaltungsakts Ausdruck verschafft. Im Gegensatz zu Soutters Zeichnung, die eine Szenerie auf einer räumlich erfassten Bühne zeigt, sind die Figuren von Noflaner scherenschnittgleich freigestellt und erhalten dadurch eine ornamentale Prägnanz.

Was Noflaner so an Figuren und Objekten, an Zeichen und Symbolen auf seinen Bildern vorführt, verschließt sich allerdings einer

Franz Josef Noflaner,
Ohne Titel, 1981,
WV 123

schnellen Lesbarkeit. Der Künstler lässt in seinen Bildern eine in sich geschlossene Figurenwelt entstehen, die für Außenstehende wie ein Traum, wie ein verzaubertes Universum voller Andeutungen und Verwischungen wirken muss. Einige vom Künstler den Werken beigegebene Titel geben zwar Hinweise auf inhaltliche Kontexte, aber letztlich bleibt eine inhaltliche Auseinandersetzung mit seinen Bildern oft ein Weg ins Dunkle.

Noflaner muss sich als moderner Künstler verstanden haben, der sich einreiht in eine Tradition der expressiven Malerei. Auch wenn über sein Wissen über die Kunst seiner Zeit nur spekuliert werden kann, so sind einige Bezugnahmen doch offensichtlich. Unübersehbar ist etwa die Auseinandersetzung mit den Bildwelten von Pablo Picasso, von dem Noflaner einzelne Motive und Gestaltungsformen fast zitathaft in seine Malerei übernimmt. So taucht im Bild *Adam und Eva* in der linken Bildhälfte ein fischartiges Wesen auf, das in seiner reduzierten Form und der Augenstellung dem frei schwebenden Kopf der Lichtträgerin in Picassos berühmtem Bild *Guernica* gleicht. Ebenso erinnern die aufgerissenen Augen oder der im Erschrecken nach hinten gebeugte Kopf von Adam an die leidenden Kreaturen in Picassos Bild. In manchen Werken, etwa WV 123, zeugen kubistisch deformierte Köpfe von einer aktiven Auseinandersetzung mit dem großen Vorbild. Die Auseinandersetzung mit Picasso ist kein Zufall, denn wer im 20. Jahrhundert ein berühmter Künstler werden wollte, kam an der Person des berühmten Spaniers nicht vorbei: Hatte Picasso als Mitträger der kubistischen Bildrevolution schon vor dem Ersten Weltkrieg die Kunstszene nachhaltig erschüttert, so trat er 1937 mit dem Antikriegsbild *Guernica* und noch viel mehr mit seiner exaltierten Lebensführung nach dem Zweiten Weltkrieg als der mo-

Pablo Picasso, *Guernica*, 1937, Öl auf Leinwand; Museo Reina Sofia, Madrid

Franz Josef Noflaner, *Ohne Titel*, 1969, WV 143

derne Künstler schlechthin ins Bewusstsein einer breiten Öffentlichkeit. Während in Wien, Berlin, Düsseldorf oder auch New York in den sechziger Jahren die junge Avantgarde mit Figuren wie Hermann Nitsch, Günter Brus, Josef Beuys oder Andy Warhol mit Skandalen am am laufenden Band die elitäre Kunstszene aufregten, war Picasso mit seinen Frauengeschichten und den bildnerischen Tabubrüchen schon längst zum erklärten Liebling der Boulevardpresse und der Massen geworden, konkurrenziert höchstens noch durch den Surrealisten Salvador Dalí, der mit seinen weichen Uhren, brennenden Giraffen und anderen phantastischen Bilderfindungen jede Grenze einer sinnvollen Realität niedergerissen hatte. Diese zwei Künstlerheroen mussten Noflaner, der mit seiner Malerei ja durchaus berühmt werden wollte, sowohl als Rollenmodelle wie auch als Bilderproduzenten überzeugt haben. Als Noflaner in den sechziger Jahren zu malen begann, hatten diese beiden Fahnenträger der Avantgarde mit ihren Werken alle akademischen Regeln der Kunst außer Kraft gesetzt und Freiräume für jede gestalterische Eigenheit, für jedes beliebige Motiv geschaffen. Der Zwang zu anatomischer Richtigkeit oder zu einer mit Hilfe der Perspektive geschaffenen Bildräumlichkeit war aufgehoben zugunsten einer unmittelbaren Expressivität, einer reinen Bildwirkung und der Entfaltung einer frei schwebenden Phantasie.

Gerade der Surrealismus eines Salvador Dalí gab Noflaner die Freiheit, phantastische Figuren zu er-

Pieter Bruegel der Ältere,
Die großen Fische fressen die kleinen,
1556, Pinselzeichnung;
Grafische Sammlung Albertina,
Wien

Jean Dubuffet,
Fautrier Araignée au front,
1947; Öl auf Leinwand,
Fondation Jean Dubuffet

finden, in denen er Körperelemente nach Belieben zusammenstellen konnte. So ist die Eva im Bild *Adam und Eva* ein fliegendes Wesen, deren Körper aus einer Hand, zwei Brüsten und einem Kopf mit wallendem Haar ausgebildet ist. Solche phantastische Fabelwesen finden sich im Werk Noflaners verschiedentlich, etwa eine Echse mit Frauenkörper und Fischschwanz (WV 143) oder ein kamelartiges Tier mit Menschengesicht und hochragendem, handförmigem Kamm auf dem Rücken, so dass kaum entschieden werden kann, was für ein Wesen hier vor einem erstaunt blickenden Mädchen steht (WV 138). Noflaner erschafft sich ein eigenes Bestiarium, das seine Reverenz den zeitgenössischen Tendenzen genauso erweist wie den spätmittelalterlichen Phantastereien von Hieronymus Bosch und Pieter Bruegel oder aber auch dem ausufernden Erfindungsreichtum des Symbolismus.

Noflaner kannte allenfalls auch jene „Leidensexpressivität", mit der Künstlerinnen und Künstler nach 1945 das unvorstellbare Leiden des Kriegs und die Frage des Umgangs der Kunst mit dem organisierten Massenmord zu thematisieren versuchten. Fragmentierte Körper, gewundene Leiber, weit aufgerissene Augen oder auch realitätsfremde Phantasiewesen, verbunden mit einer bewusst unkünstlerischen, grob scheinenden Malweise, gehörten ab den vierziger Jahren zum weit verbreiteten Ausdrucksvokabular der Künstlerinnen und Künstler. Henry Moore in seinen *Shelter drawings*, Julio Gonzales mit der Zeichenserie der schreienden Köpfe oder auch Pablo Picasso

Franz Josef Noflaner, *Ohne Titel*, 1979, WV 69

Franz Josef Noflaner, *Ohne Titel*, o. J., WV 131

mit den Frauenfiguren prägten bereits während des Kriegs eine Formensprache, die das unermessliche Leiden der Zeit ausdrückte.[8] Nach Kriegsende entwickelten Künstler wie Jean Fautrier, Jean Dubuffet, Wols, Constant, aber auch der frühe Pollock eine expressive Ausdrucksform, in der aufgerissene Augen und schmerzlich verrenkte Körper sich mit einer malerischen Expressivität verbanden.[9] Auch Noflaner gestaltet Jahrzehnte später seine Paradiesszene *Adam und Eva* nicht etwa als idyllische Gartenlandschaft, in der die Menschen in konfliktloser Harmonie mit Tieren und Natur leben. Bei Noflaner sind Adam und Eva gequälte, leidende Wesen, deren nackte, unbedeckte Körper vor einem grellgelben Hintergrund den erstaunten Blicken von erschreckten, nicht genauer zu identifizierenden Wesen ausgesetzt sind. Adam und Eva erweisen sich als in die Welt geworfene Menschen, deren Menschsein sich in ihrem Leiden und ihrem Ausgesetztsein realisiert.

Noflaners Bildwelten sind aber keineswegs nur durch die damals aktuellen Strömungen der Kunst bestimmt. Wer beginnt, nach benennbaren Motiven zu suchen, erkennt schnell, dass immer wieder traditionelle, oft religiös gefärbte Themen anklingen. Da gibt es in einem Bild (WV 131) etwa den Ritter – oder ist es ein Engel? –, der sich mit einem Drachentier anlegt. Ist hier etwa der heilige Georg dargestellt? Wenn ja, dann allerdings nicht mit schimmernder Rüstung, sondern in zerbrechlicher Nacktheit, die sich ähnlich nochmals zeigt in einem Bild mit einem nackten Mann, der mit einem Speer – oder einem Wanderstab? – im Wasser steht (WV 190) und verträumt in die Ferne schaut. Das Motiv von Adam und Eva ist mehrfach ver-

Hl. Christophorus,
2. Hälfte 15. Jahrhundert,
Fresko an der Außenwand der
St. Jakob-Kirche in St. Ulrich

treten. Sie existieren nicht nur als die leidenden Kreaturen, sondern treten auch im Bild *Aufstrebender Drang* (WV 72) auf, hier im (vergeblichen) Kampf mit der Schlange. Ein paradiesischer Zustand zeigt sich auch im Bild *Waldesfrühling* (WV 28), wo ein Paar zärtlich umschlungen im Walde steht, neugierig beobachtet durch mancherlei Wesen, Gesichter und Geister. Sind in dieser Szene Adam und Eva dargestellt, nach ihrer Verstoßung aus dem Paradies? Oder handelt es sich um eine moderne Schäferidylle, um ein reines Phantasiebild? Eine Traumdarstellung? Neben der Bibel lassen sich weitere Texte als Inspirationen vermuten, etwa Märchen oder die griechische Sagenwelt, wobei auch da eine genauere Bestimmung oft unklar bleiben muss. So lässt sich zum Beispiel fragen, ob das Bild *Macht der Musik* (WV 70) eine beliebige bukolische Szene zeigt oder ob der Künstler hier die griechische Sage von Orpheus und Eurydike illustriert. Überprüft werden müsste auch, ob Noflaner nicht auch eigene Geschichten bildnerisch umsetzte.

Eine weitere mögliche Inspirationsquelle von Noflaners Bilderwelt könnten ethnologische Bildvorlagen sein. Was da an Schlangen und Vögeln, an ornamental verziertem Gewürm und Gefieder durch die Bilder wuselt, erinnert an Stammeskunst aus Afrika oder Südostasien. Diese Referenz wird unterstützt durch die oft flächenhaft ornamentale Ausprägung der Bilder (vgl. WV 69). Menschenfiguren und Tier oder Pflanzen überziehen die ganze Bildfläche und erzeugen den Eindruck eines belebten Ornaments. Ethnografische Bildwelten waren spätestens nach dem Ende des Zweiten Weltkriegs beliebte

Themen in den Massenmedien, so dass auch Noflaner in den Tiroler Alpen solche Werke zumindest in Form von Fotografien zu Gesicht bekommen konnte. Aber es muss nicht so weit gesucht werden, um Noflaners Bildfindungen und seine gestalterischen Vorlieben zu erklären. Vielleicht genügt schon der Besuch in der St. Jakobskirche in St. Ulrich, wo es ein Fresko mit dem *Heiligen Christophorus* gibt, das in seiner Tendenz zur Flächigkeit, der Expressivität der Körpersprache sowie der Freude an einer ornamentalen Gestaltung vieles gemein hat mit der bildnerischen Haltung von Noflaner.

Die meisten Motive bei Noflaner entziehen sich einer definitiven Bestimmung. Sie gemahnen uns allenfalls mehr oder weniger deutlich an Bilder oder Geschichten aus unserem eigenen Erinnerungsschatz, ohne dass sich die Motive zu einer illustrativen Eindeutigkeit verdichten würden. Selbst da, wo die Motive eine gewisse Eindeutigkeit haben, etwa bei *Adam und Eva*, unterwirft der Künstler das traditionelle Motiv seiner eigenwilligen Uminterpretation, beispielsweise dann, wenn die Paradiesszene beim Bild *Aufstrebender Drang* (WV 72) über einem Bauernhaus aufscheint, wodurch die biblische Handlung ins Umfeld der eigenen Lebenswelt versetzt wird. Noflaner nutzt die Möglichkeiten der Moderne zur freien Montage von Bekanntem und Unbekanntem. Er verbindet das Vertraute in oft waghalsiger Art und Weise mit dem Fremden und Abseitigen.

Selbst wenn sich die Themen oder Motive oft nicht eindeutig bestimmen lassen, so entfalten die Bilder von Noflaner doch eine eindeutige Ausstrahlung der Beklemmung und der existentiellen Bedrohung. Die nackt ins Leben geworfenen Menschen, das bedrohliche Bestiarium von Schlangen, Vögeln, Elefanten oder Pferden, die wild wuchernden Pflanzenwelten, in denen Natur übergangslos in Menschliches übergeht, all diese Szenerien öffnen Blicke auf eine verrückte Welt. Wobei für Noflaner nicht die Welt verrückt ist, sondern die Menschen in ihr, heißt doch einer seiner Bildtitel *Der Mensch hat einen Vogel* (WV 61). Der Mensch ist das Verrückte, das dem Wahnsinn anheimgegebene Wesen, das die Welt um sich herum zu einem surrealen Theater werden lässt.

¹ Wer war Franz Josef Noflaner – Film von Roland Kristanell und Wolfgang Thomaseth – Rai / Sender Bozen 1990.

² Ebenda.

³ Katharina Moling, *Studien zu Franz Josef Noflaner (1904–1989). Portrait und Werkverzeichnis*. Magisterarbeit, eingereicht am Institut für Kunstgeschichte, Universität Wien 2016.

⁴ WV 34, 35, 52, 79, 216, 294.

⁵ Alma Vallazza: *Kein Tätiger ist seiner brennenden Wünsche sicher. Franz Josef Noflaner (1904-1989)*. In: „filadressa. Kontexte der Südtiroler Literatur", Heft 1, 1. Jahrgang, Bozen 2001, S. 73.

⁶ Vgl. Max Wolfgang Faust: *Hunger nach Bildern*, Köln 1982.

⁷ Angaben aus dem Werkverzeichnis von Katharina Moling, s.o. Die jüngsten Datierungen lauten auf 1984, wobei es viele nicht datierte Werke gibt.

⁸ Für den oben genannten, 1933 geborenen Josef Kostner aus St. Ulrich war ein Besuch bei Henry Moore ein Schlüsselerlebnis bei seiner Suche nach einer eigenständigen künstlerischen Sprache. Mit seinen *shelter drawings* hatte der englische Künstler bereits während des Kriegs das Thema menschlichen Leidens modellhaft gestaltet.

⁹ Eine Zusammenfassung dieser Leidensexpressivität während und nach dem Krieg findet sich in: Laszlo Glozer: *Westkunst. Zeitgenössische Kunst seit 1939*, Köln 1981.

Werkverzeichnis

Katharina Moling

Werkverzeichnis

Das nachfolgende Werkverzeichnis ist das Ergebnis einer Recherche und Katalogisierung des künstlerischen Werkes von Franz Josef Noflaner, die ich im Rahmen meines Studiums der Kunstgeschichte an der Universität Wien erstellt und 2016 als Masterarbeit eingereicht habe.[1] Es beabsichtigt eine möglichst vollständige Bestandsaufnahme der Malerei auf Leinwand und einer repräsentativen Auswahl der Zeichnungen. Dabei stütze ich mich auf verfügbare Quellen und Informationen zur Entstehungsgeschichte des Werkes sowie auf die besonderen Umstände der Nachlassverwaltung.

Ausgangspunkt der Bestandsaufnahme ist eine 1987 anlässlich der zweiten Einzelausstellung auf Initiative des Kreises für Kunst und Kultur in St. Ulrich („Circolo") erstellte fotografische Dokumentation des malerischen Werkes zu diesem Zeitpunkt. Unter der Koordination von Gregor Prugger und Diego Kostner, damalige Leitungsmitglieder des Circolo, wurde von jedem einzelnen Werk ein Kleinbilddia aufgenommen und in Klarsichthüllen in einem Aktenordner mit fortlaufender Nummer abgelegt („Ordner Circolo"). Einschließlich von Doppelaufnahmen und Schnappschüssen umfasst dieser Ordner 355 Dias. Zugleich wurde diese Nummer dem Original des jeweiligen Werkes selbst zugewiesen und rückseitig auf dem Keilrahmen eingetragen.

Durch die Recherche war es möglich, davon 290 Werke ausfindig zu machen, sie im Original zu begutachten und zu katalogisieren. Von 48 Werken aus dem „Ordner Circolo" sind der Standort und die

---

[1] Katharina Moling, *Studien zu Franz Josef Noflaner (1904–1989). Portrait und Werkverzeichnis.* Eingereicht zur Erreichung des Grades Master of Art, Universität Wien 2016.

Werkangaben unbekannt; vorbehaltlich einer zukünftigen Verifizierung bleiben sie mit der entsprechenden Nummer, versehen mit einem Sternchen, und der Abbildung im Werkverzeichnis vermerkt. Allerdings wurden zusätzlich 53 Arbeiten auf Leinwand oder auf Presskarton eruiert und katalogisiert, die im „Ordner Circolo" fehlen; davon tragen 35 Werke am Keilrahmen eine Nummer von 356 bis 413, bei 18 Werken fehlen sowohl eine Nummer wie ein Dia. Den Letzteren wurde eine Werkverzeichnisnummer beginnend mit 500 zugewiesen. Die festgestellte Anzahl der Arbeiten auf Leinwand bzw. auf Presskarton umfasst also insgesamt 391 Werke von WV 1 bis WV 517. Für die Auswahl der Zeichnungen und Arbeiten auf Papier wurde ein separates Verzeichnis beginnend mit der Nummer 600 angelegt. Hierbei gilt, dass von den geschätzten etwa 800 Zeichnungen – zumeist mit blauem, rotem oder schwarzem Kugelschreiber in mittleren und größeren Formaten – eine Auswahl getroffen werden musste. Nicht berücksichtigt können hier die zahlreichen Vignetten und Karikaturen in kleineren Formaten werden, die Noflaner selbst zu Zyklen zusammengestellt oder in eigenen Ordnern abgelegt hat. Eine kleine Auswahl daraus begleitet die Textauswahl im ersten Band.

Hinweise zu den Werkangaben

Zum Titel	Die Angabe „Ohne Titel" bedeutet, dass vom Künstler kein Werktitel überliefert ist.
Jahr	„Undatiert" bedeutet, dass eine präzise Datierung nicht vorgenommen werden kann. Falls vertretbar, wird eine ungefähre Datierung ausgesprochen.
Technik	Die Angabe „Öl auf Leinwand" bezieht sich auf die begutachteten Werke und wird auch für die ungeprüften als vertretbar angesehen; die Ausstattung mit einem Originalrahmen wird vermerkt.
Maße	Die Angaben beziehen sich auf die Maße der Werke ohne Rahmen in Zentimeter mit Höhe vor Breite und Tiefe.
Eigentümer	Die Nennung berücksichtigt den Wunsch des Eigentü-

	mers. Die Angabe „Eigentümer unbekannt" bedeutet unbekannter Standort.
WV	Die angeführte Signatur WV mit fortlaufender Zahl folgt der Nummer im „Ordner Circolo" beziehungsweise den nachträglich zugewiesenen Werkverzeichnisnummern. Fehlende Werkverzeichnisnummern beziehen sich auf Schnappschüsse und Doppelaufnahmen und bleiben demnach frei. [Betroffen sind 109, 147, 184, 185, 240, 241, 242, 243, 244, 245, 248, 253, 254, 255, 317, 320, 331.] In drei Fällen wurde aus Versehen der Nachlassverwalter dieselbe Werkverzeichnisnummer zweimal zugewiesen. Zum Zweck der Unterscheidung erhalten diese Werke folgende Signaturen: WV 371.1 und WV 371.2, WV 372.1 und WV 372.2, WV 401.1 und WV 401.2. Fehlende Werkverzeichnisnummern zwischen 356 und 413 (insgesamt 22) signalisieren nicht aufgespürte Werke. Den Arbeiten auf Papier wurde eine neue Werkverzeichnisnummer beginnend mit 600 zugewiesen.
WV*	Die Werkverzeichnisnummern mit einem Sternchen bezeichnen Werke, die nicht im Original überprüft werden konnten. Von diesen ist nur das Dia mit der entsprechenden Nummer aus dem „Ordner Circolo" überliefert.
WV**	Die Werkverzeichnisnummern mit zwei Sternchen bezeichnen nicht geprüfte Werke mit Werkangaben aus einem handschriftlichen Verzeichnis des Bruders Rufin Noflaner.

Für die Angabe der Bildträger gilt folgende Abkürzung:

Öl auf Leinwand	Öl auf Lw
Öl auf Presskarton	Öl auf Pk
Kugelschreiber auf Papier	Kugelschreiber auf Pp

Ohne Titel, 1969
Öl auf Lw, 100 x 75 x 2 cm
Privatbesitz, Brixen
WV 1

Ohne Titel, 1967
Öl auf Lw, 85 x 85 x 2 cm
Privatbesitz, St. Ulrich
WV 2

Alte Liebe, 1968
Öl auf Lw, 50 x 60 x 2 cm
Privatbesitz, Brixen
WV 3

Ohne Titel, 1974
Öl auf Lw, 100 x 60 x 2 cm
Privatbesitz, St. Ulrich
WV 4

Sonne und Mond, 1981
Öl auf Lw mit Originalrahmen,
50 x 65 x 2 cm
Eigentümer unbekannt
WV 5**

Ohne Titel, 1972
Öl auf Lw, 80 x 40 x 2 cm
Privatbesitz, St. Ulrich
WV 6

Titel nicht lesbar, 1968
Öl auf Lw mit Originalrahmen,
70 x 40 x 2 cm
Privatbesitz, St. Christina
WV 7

Ohne Titel, 1971
Öl auf Lw, 70 x 60 x 2 cm
Privatbesitz, Meran
WV 8

Ohne Titel, 1969
Öl auf Lw, 70 x 60 x 2 cm
Privatbesitz, St. Christina
WV 9

Ohne Titel, 1969
Öl auf Lw, 70 x 60 x 2 cm
Privatbesitz, St. Christina
WV 10

Ohne Titel, o. J.
Öl auf Lw, weitere Angaben fehlen
Eigentümer unbekannt
WV 11*

Ohne Titel, 1981
Öl auf Lw, 50 x 40 x 2 cm
Privatbesitz, St. Christina
WV 12

Ohne Titel, 1974
Öl auf Lw, 70 x 60 x 2 cm
Privatbesitz, St. Ulrich
WV 13

Ohne Titel, undatiert
Öl auf Pk mit Originalrahmen,
30 x 22 cm
Privatbesitz, St. Ulrich
WV 14

Ohne Titel, undatiert
Öl auf Pk mit Originalrahmen,
30 x 22 cm
Privatbesitz, St. Christina
WV 15

Ohne Titel, 1978
Öl auf Pk mit Originalrahmen,
40 x 25 cm
Privatbesitz, Kolfuschg
WV 16

Ohne Titel, o. J.
Öl auf Lw mit Originalrahmen,
weitere Angaben fehlen
Eigentümer unbekannt
WV 17*

Ohne Titel, undatiert
Öl auf Lw, 40 x 30 x 2 cm
Privatbesitz, Brixen
WV 18

Ohne Titel, 1971
Öl auf Lw, 30 x 30 x 2 cm
Privatbesitz, Brixen
WV 19

Ohne Titel, 1984
Öl auf Lw, 30 x 30 x 2 cm
Privatbesitz, Meran
WV 20

Ohne Titel, undatiert
Öl auf Lw, 30 x 30 x 2 cm
Privatbesitz, St. Christina
WV 21

Ohne Titel, 1981
Öl auf Lw, 30 x 30 x 2 cm
Privatbesitz, St. Ulrich
WV 22

Ohne Titel, 1969
Öl auf Lw mit Originalrahmen,
100 x 120 x 2 cm
Privatbesitz, St. Ulrich
WV 23

Ohne Titel, 1968
Öl auf Lw mit Originalrahmen,
130 x 90 x 2 cm
Privatbesitz, St. Ulrich
WV 24

BR-GRZ 2, 1980
Öl auf Lw mit Originalrahmen,
115 x 100 x 2 cm
Privatbesitz, St. Ulrich
WV 25

BR-GRZ 1, 1980
Öl auf Lw mit Originalrahmen,
115 x 100 x 2 cm
Privatbesitz, St. Christina
WV 26

Jugend marschiert, 1973
Öl auf Lw mit Originalrahmen,
105 x 95 x 2 cm
Privatbesitz, St. Ulrich
WV 27

Waldesfrühling, 1979
Öl auf Lw mit Originalrahmen,
130 x 80 x 2 cm
Privatbesitz, Meran
WV 28

Ohne Titel, 1968
Öl auf Lw, 130 x 90 x 2 cm
Privatbesitz, St. Ulrich
WV 29

Ohne Titel, 1968
Öl auf Lw, 130 x 80 x 2 cm
Privatbesitz, St. Christina
WV 30

Waldhexen, 1968
Öl auf Lw, 130 x 90 x 2 cm
Privatbesitz, St. Ulrich
WV 31

Ohne Titel, 1968
Öl auf Lw, 130 x 90 x 2 cm
Privatbesitz, St. Ulrich
WV 32

Ohne Titel, o. J.
Öl auf Lw mit Originalrahmen,
weitere Angaben fehlen
Eigentümer unbekannt
WV 33*

Ohne Titel, 1967
Öl auf Lw mit Originalrahmen,
100 x 120 x 2 cm
Privatbesitz, St. Christina
WV 34

Ohne Titel, 1967
Öl auf Lw mit Originalrahmen,
100 x 120 x 2 cm
Privatbesitz, St. Christina
WV 35

Ohne Titel, 1969
Öl auf Lw, 60 x 40 x 2 cm
Privatbesitz, St. Christina
WV 36

Ohne Titel, 1969
Öl auf Lw, 60 x 40 x 2 cm
Privatbesitz, St. Ulrich
WV 37

Ohne Titel, 1970
Öl auf Lw, 60 x 40 x 2 cm
Privatbesitz, St. Ulrich
WV 38

Ohne Titel, undatiert
Öl auf Lw, 60 x 40 x 2 cm
Privatbesitz, Brixen
WV 39

Ohne Titel, 1969
Öl auf Lw, 60 x 40 x 2 cm
Privatbesitz, St. Christina
WV 40

Ohne Titel, 1969
Öl auf Lw, 60 x 40 x 2 cm
Privatbesitz, Meran
WV 41

Ohne Titel, o. J.
Öl auf Lw, weitere Angaben fehlen
Eigentümer unbekannt
WV 42*

Ohne Titel, 1969
Öl auf Lw, 60 x 40 x 2 cm
Privatbesitz, St. Ulrich
WV 43

Ohne Titel, 1981
Öl auf Lw, 60 x 40 x 2 cm
Privatbesitz, St. Ulrich
WV 44

Ohne Titel, 1969
Öl auf Lw, 40 x 60 x 2 cm
Privatbesitz, St. Christina
WV 45

Ohne Titel, 1970
Öl auf Lw, 40 x 60 x 2 cm
Privatbesitz, St. Ulrich
WV 46

Ohne Titel, 1969
Öl auf Lw, 60 x 40 x 2 cm
Privatbesitz, Meran
WV 47

Ohne Titel, 1971
Öl auf Lw, 60 x 40 x 2 cm
Privatbesitz, St. Ulrich
WV 48

Ohne Titel, o. J.
Öl auf Lw, 60 x 40 x 2 cm
Eigentümer unbekannt
WV 49**

Berg und Mensch, 1978
Öl auf Lw, 80 x 60 x 2 cm
Privatbesitz, St. Ulrich
WV 50

Ohne Titel, 1967
Öl auf Lw, 86 x 85 x 2cm
Privatbesitz, St. Christina
WV 51

Ohne Titel, 1967
Öl auf Lw, 85 x 85 x 2 cm
Privatbesitz, Meran
WV 52

Ohne Titel, 1979
Öl auf Lw, 80 x 70 x 2 cm
Privatbesitz, St. Ulrich
WV 53

Ohne Titel, 1980
Öl auf Lw, 100 x 60 x 2 cm
Privatbesitz, St. Ulrich
WV 54

Ohne Titel, 1970
Öl auf Lw, 100 x 65 x 2 cm
Privatbesitz, St. Ulrich
WV 55

Ohne Titel, 1979
Öl auf Lw, 100 x 60 x 2 cm
Privatbesitz, Brixen
WV 56

Ohne Titel, o. J.
Öl auf Lw, weitere Angaben fehlen
Eigentümer unbekannt
WV 57*

Adenauer und seine Getreuen,
1973, Öl auf Lw, 100 x 60 x 2 cm
Privatbesitz, St. Christina
WV 58

Ohne Titel, 1983
Öl auf Lw, 100 x 60 x 2 cm
Privatbesitz, St. Ulrich
WV 59

Ältester Blumenwald, 1982
Öl auf Lw, 90 x 50 x 2 cm
Privatbesitz, St. Ulrich
WV 60

Der Mensch hat einen Vogel,
1976, Öl auf Lw, 70x 50 x 2 cm
Privatbesitz, St. Christina
WV 61

Ohne Titel, 1968
Öl auf Lw, 90 x 50 x 2 cm
Privatbesitz, Meran
WV 62

Ohne Titel, 1968
Öl auf Lw, 90 x 50 x 2 cm
Privatbesitz, Meran
WV 63

Ältester Blumenwald, 1969
Öl auf Lw, 90 x 50 x 2 cm
Privatbesitz , St. Ulrich
WV 64

Ohne Titel, 1976
Öl auf Lw, 50 x 90 x 2 cm
Privatbesitz, St. Christina
WV 65

Ohne Titel, 1968
Öl auf Lw, 90 x 50 x 2 cm
Privatbesitz, St. Ulrich
WV 66

Ohne Titel, 1969
Öl auf Lw, 90 x 50 x 2 cm
Privatbesitz, St. Ulrich
WV 67

Werdender Jüngling, 1979
Öl auf Lw, 80 x 50 x 2 cm
Privatbesitz, St. Christina
WV 68

Ohne Titel, 1979
Öl auf Lw mit Originalrahmen,
140 x 80 x 2 cm
Museum Ladin, St. Martin in Thurn
WV 69

Macht der Musik, 1979
Öl auf Lw mit Originalrahmen,
130 x 80 x 2 cm
Privatbesitz, St. Ulrich
WV 70

Jungfräuliche Plantage, 1979
Öl auf Lw mit Originalrahmen,
130 x 80 x 2 cm
Privatbesitz, St. Christina
WV 71

Aufstrebender Drang, 1980
Öl auf Lw mit Originalrahmen,
130 x 80 x 2 cm
Privatbesitz Demetz Otto,
St. Ulrich
WV 72

Asiatische Torturen, 1979
Öl auf Lw mit Originalrahmen,
130 x 80 x 2 cm
Privatbesitz, Kolfuschg
WV 73

Adam und Eva, 1979
Öl auf Lw mit Originalrahmen,
130 x 80 x 2 cm
Privatbesitz, St. Christina
WV 74

Ohne Titel, 1967
Öl auf Lw, 85 x 85 x 2 cm
Privatbesitz, St. Christina
WV 75

Ohne Titel, 1971
Öl auf Lw, 40 x 50 x 2 cm
Privatbesitz, St. Ulrich
WV 76

Klerisei, 1971
Öl auf Lw, 70 x 80 x 2 cm
Privatbesitz, St. Christina
WV 77

Große Taube, 1973
Öl auf Lw mit Originalrahmen,
75 x 100 x 2 cm
Privatbesitz, St. Ulrich
WV 78

Ohne Titel, 1967
Öl auf Lw, 85 x 85 x 2 cm
Privatbesitz, Brixen
WV 79

Ohne Titel, o. J.
Öl auf Lw, weitere Angaben fehlen
Eigentümer unbekannt
WV 80*

Wolkenpaar, 1979
Öl auf Lw, 75 x 80 x 2 cm
Privatbesitz
WV 81

Ohne Titel, 1983
Öl auf Lw, 100 x 75 x 2 cm
Privatbesitz, St. Christina
WV 82

Ohne Titel, o. J.
Öl auf Lw, 100 x 75 x 2 cm
Eigentümer unbekannt
WV 83**

Der Schlangenträger, 1973
Öl auf Lw mit Originalrahmen,
150 x 80 x 2 cm
Privatbesitz, Bozen
WV 84

Ohne Titel, 1978
Öl auf Lw, 40 x 30 x 2 cm
Privatbesitz, St. Christina
WV 85

Ohne Titel, 1977
Öl auf Lw, 40 x 30 x 2 cm
Privatbesitz, St. Ulrich
WV 86

Ninfo, 1977
Öl auf Lw, 50 x 30 x 2 cm
Museum Ladin, St. Martin
in Thurn
WV 87

Ohne Titel, 1979
Öl auf Lw, 30 x 50 x 2 cm
Privatbesitz, Meran
WV 88

Ohne Titel, 1979
Öl auf Lw, 45 x 35 x 2 cm
Privatbesitz, Meran
WV 89

Ohne Titel, 1971
Öl auf Lw, 40 x 30 x 2 cm
Privatbesitz, St. Ulrich
WV 90

Ohne Titel, 1974
Öl auf Lw, 45 x 30 x 2 cm
Privatbesitz, St. Ulrich
WV 91

Ohne Titel, 1981
Öl auf Lw, 50 x 30 x 2 cm
Privatbesitz, St. Christina
WV 92

Ohne Titel, 1981
Öl auf Lw, 50 x 30 x 2 cm
Privatbesitz, St. Christina
WV 93

Ohne Titel, 1969
Öl auf Lw, 50 x 30 x 2 cm
Privatbesitz, Meran
WV 94

Ohne Titel, 1982
Öl auf Lw, 50 x 30 x 2 cm
Privatbesitz, St. Ulrich
WV 95

Ohne Titel, o. J.
Öl auf Lw, 60 x 40 x 2 cm
Eigentümer unbekannt
WV 96**

Ohne Titel, 1971
Öl auf Lw, 60 x 35 x 2 cm
Privatbesitz, Brixen
WV 97

Ohne Titel, o. J.
Öl auf Lw, 60 x 40 x 2 cm
Eigentümer unbekannt
WV 98**

Ohne Titel, 1975
Öl auf Lw, 60 x 40 x 2 cm
Privatbesitz, St. Ulrich
WV 99

Ohne Titel, 1974
Öl auf Lw, 60 x 40 x 2 cm
Privatbesitz, St. Ulrich
WV 100

Ohne Titel, 1981
Öl auf Lw, 35 x 30 x 2 cm
Privatbesitz, St. Ulrich
WV 101

Ohne Titel, undatiert
Öl auf Lw, 60 x 40 x 2 cm
Privatbesitz, St. Ulrich
WV 102

Ohne Titel, 1968
Öl auf Lw, 60 x 40 x 2 cm
Privatbesitz, St. Christina
WV 103

Ohne Titel, undatiert
Öl auf Lw, 60 x 40 x 2 cm
Privatbesitz, Meran
WV 104

Ohne Titel, 1969
Öl auf Lw, 60 x 40 x 2 cm
Privatbesitz, St. Christina
WV 105

Ohne Titel, 1969
Öl auf Lw, 40 x 60 x 2 cm
Privatbesitz, St. Christina
WV 106

Ohne Titel, o. J.
Öl auf Lw, weitere Angaben
fehlen, Eigentümer unbekannt
WV 107*

Ohne Titel, undatiert
Öl auf Lw, 60 x 40 x 2 cm
Privatbesitz, St. Christina
WV 108

Ohne Titel, 1984
Öl auf Pk, 50 x 40 cm
Privatbesitz, St. Ulrich
WV 110

Ohne Titel, 1981
Öl auf Pk, 50 x 40 cm
Privatbesitz, Meran
WV 111

Ohne Titel, 1982
Öl auf Pk, 50 x 40 cm
Privatbesitz, St. Ulrich
WV 112

Ohne Titel, 1983
Öl auf Pk, 50 x 40 cm
Privatbesitz, St. Ulrich
WV 113

Ohne Titel, 1979
Öl auf Pk, 50 x 40 cm
Privatbesitz, St. Ulrich
WV 114

Ohne Titel, 1981
Öl auf Pk, 50 x 40 cm
Privatbesitz, St. Ulrich
WV 115

Ohne Titel, 1980
Öl auf Pk, 50 x 40 cm
Privatbesitz, St. Ulrich
WV 116

Ohne Titel, undatiert
Öl auf Pk, 50 x 40 cm
Privatbesitz, St. Christina
WV 117

Ohne Titel, 1981
Öl auf Pk, 50 x 40 cm
Privatbesitz, Meran
WV 118

Ohne Titel, 1979
Öl auf Pk, 40 x 50 cm
Privatbesitz, St. Ulrich
WV 119

Ohne Titel, 1981
Öl auf Lw, 65 x 60 x 2 cm
Privatbesitz, St. Christina
WV 120

Ohne Titel, 1971
Öl auf Lw, 75 x 65 x 2 cm
Privatbesitz, St. Christina
WV 121

Ohne Titel, 1981
Öl auf Lw, 90 x 50 x 2 cm
Privatbesitz, St. Ulrich
WV 122

Ohne Titel, 1981
Öl auf Lw, 70 x 60 x 2 cm
Privatbesitz, Bozen
WV 123

Ohne Titel, 1975
Öl auf Lw, 60 x 40 cm
Privatbesitz, St. Ulrich
WV 124

Heualm, 1981
Öl auf Lw mit Originalrahmen,
50 x 40 x 2 cm
Privatbesitz, St. Ulrich
WV 125

Menschlicher Vollmond, 1981
Öl auf Lw mit Originalrahmen,
50 x 40 x 2 cm
Privatbesitz, St. Ulrich
WV 126

Ohne Titel, o. J.
Öl auf Lw, weitere Angaben fehlen
Eigentümer unbekannt
WV 127*

Ohne Titel, 1971
Öl auf Lw, 50 x 40 x 2 cm
Privatbesitz, Meran
WV 128

Gletscherspuren, 1981
Öl auf Lw mit Originalrahmen,
60 x 50 x 2 cm
Privatbesitz, St. Christina
WV 129

Klassisches Paar, 1981
Öl auf Lw mit Originalrahmen,
60 x 50 x 2 cm
Privatbesitz, St. Ulrich
WV 130

Ohne Titel, o. J.
Öl auf Lw mit Originalrahmen,
50 x 40 x 2 cm
Eigentümer unbekannt
WV 131**

Ohne Titel, 1981
Öl auf Lw mit Originalrahmen,
50 x 70 x 2 cm
Privatbesitz, Brixen
WV 132

Ohne Titel, 1969
Öl auf Lw, 60 x 50 x 2 cm
Privatbesitz, St. Ulrich
WV 133

Ohne Titel, 1974
Öl auf Lw, 60 x 50 x 2 cm
Privatbesitz, St. Christina
WV 134

Ohne Titel, 1972
Öl auf Lw, 60 x 50 x 2 cm
Privatbesitz, St. Christina
WV 135

Ohne Titel, 1979
Öl auf Lw, 45 x 55 x 2 cm
Privatbesitz, St. Christina
WV 136

Ohne Titel, o. J.
Öl auf Lw, weitere Angaben fehlen
Eigentümer unbekannt
WV 137*

Ohne Titel, 1974
Öl auf Lw, 50 x 60 x 2 cm
Privatbesitz, St. Ulrich
WV 138

Ohne Titel, o. J.
Öl auf Lw, weitere Angaben fehlen
Eigentümer unbekannt
WV 139*

Ohne Titel, o. J.
Öl auf Pk mit Originalrahmen,
40 x 30 cm
Eigentümer unbekannt
WV 140**

Ohne Titel, 1971
Öl auf Pk mit Originalrahmen,
43 x 33 cm
Privatbesitz, St. Christina
WV 141

Ohne Titel, o. J.
Öl auf Lw, 35 x 50 x 2 cm
Eigentümer unbekannt
WV 142**

Ohne Titel, 1969
Öl auf Lw, 50 x 40 x 2 cm
Privatbesitz
WV 143

Ja und Nein, 1974
Öl auf Lw, 65 x 50 x 2 cm
Privatbesitz, Meran
WV 144

Ohne Titel, 1973
Öl auf Lw, 60 x 50 x 2 cm
Privatbesitz, St. Christina
WV 145

Ohne Titel, o. J.
Öl auf Lw, 55 x 45 x 2 cm
Eigentümer unbekannt
WV 146**

Ohne Titel, undatiert
Öl auf Lw, 25 x 40 x 2 cm
Privatbesitz, St. Ulrich
WV 148

Ohne Titel, 1977
Öl auf Lw, 40 x 30 x 2 cm
Privatbesitz, St. Christina
WV 149

Ohne Titel, 1983
Öl auf Pk, 50 x 40 cm
Privatbesitz, St. Ulrich
WV 150

Ohne Titel, o. J.
Öl auf Lw mit Originalrahmen,
weitere Angaben fehlen
Eigentümer unbekannt
WV 151*

Ohne Titel, o. J.
Öl auf Lw mit Originalrahmen,
weitere Angaben fehlen
Eigentümer unbekannt
WV 152*

Ohne Titel, 1981
Öl auf Lw, 40 x 30 x 2 cm
Privatbesitz, St. Christina
WV 153

Ohne Titel, o. J.
Öl auf Lw, 40 x 30 x 2 cm
Eigentümer unbekannt
WV 154**

Ohne Titel, 1974
Öl auf Lw mit Originalrahmen,
45 x 30 x 2 cm
Privatbesitz, Meran
WV 155

Ohne Titel, 1981
Öl auf Lw, 40 x 30 x 2 cm
Privatbesitz, St. Ulrich
WV 156

Ohne Titel, 1977
Öl auf Lw, 40 x 30 x 2 cm
Privatbesitz, Meran
WV 157

Ohne Titel, undatiert
Öl auf Lw, 70 x 40 x 2 cm
Privatbesitz, St. Ulrich
WV 158

Ohne Titel, 1974
Öl auf Lw, 70 x 50 x 2 cm
Privatbesitz, St. Ulrich
WV 159

Titel nicht lesbar, 1981
Öl auf Lw mit Originalrahmen,
40 x 60 x 2 cm
Privatbesitz, St. Ulrich
WV 160

Ohne Titel, 1971
Öl auf Lw, 60 x 50 x 2 cm
Privatbesitz, St. Ulrich
WV 161

Ohne Titel, undatiert
Öl auf Lw, 40 x 25 x 2 cm
Privatbesitz, St. Ulrich
WV 162

Ohne Titel, 1981
Öl auf Lw, 40 x 30 x 2 cm
Privatbesitz, St. Ulrich
WV 163

Ohne Titel, 1971
Öl auf Lw, 50 x 40 x 2 cm
Privatbesitz St. Ulrich
WV 164

Ohne Titel, 1981
Öl auf Lw, 55 x 45 x 2 cm
Privatbesitz, Meran
WV 165

Ohne Titel, 1971
Öl auf Lw, 50 x 50 x 2 cm
Privatbesitz, St. Ulrich
WV 166

Ohne Titel, o. J.
Öl auf Lw, 50 x 50 x 2 cm
Eigentümer unbekannt
WV 167**

Ohne Titel, o. J.
Öl auf Lw, weitere Angaben fehlen
Eigentümer unbekannt
WV 168*

Ohne Titel, 1971
Öl auf Lw, 50 x 40 x 2 cm
Privatbesitz, St. Ulrich
WV 169

Ohne Titel, 1981
Öl auf Lw, 50 x 40 x 2 cm
Privatbesitz, St. Ulrich
WV 170

Katzenstein, 1981
Öl auf Lw mit Originalrahmen,
50 x 40 x 2 cm
Privatbesitz, Meran
WV 171

Titel nicht lesbar, 1981
Öl auf Lw mit Originalrahmen,
50 x 36 x 2 cm
Privatbesitz, St. Christina
WV 172

Froschberg, 1981
Öl auf Lw mit Originalrahmen,
50 x 40 x 2 cm
Privatbesitz, St. Ulrich
WV 173

Bergrose, 1981
Öl auf Lw mit Originalrahmen,
50 x 40 x 2 cm
Privatbesitz, St. Ulrich
WV 174

Ohne Titel, o. J.
Öl auf Lw, 50 x 40 x 2 cm
Eigentümer unbekannt
WV 175**

Ohne Titel, o. J.
Öl auf Lw, weitere Angaben fehlen
Eigentümer unbekannt
WV 176*

Ohne Titel, 1969
Öl auf Lw, 60 x 40 x 2 cm
Privatbesitz, St. Ulrich
WV 177

Ohne Titel, 1984
Öl auf Lw, 70 x 40 x 2 cm
Privatbesitz, St. Ulrich
WV 178

Frauen im Freien, 1969
Öl auf Lw, 70 x 40 x 2 cm
Privatbesitz, St. Ulrich
WV 179

Ohne Titel, 1981
Öl auf Lw, 70 x 40 x 2cm
Privatbesitz, St. Christina
WV 180

Ohne Titel, 1977
Öl auf Lw, 55 x 45 x 2 cm
Privatbesitz, Meran
WV 181

Ohne Titel, 1967
Öl auf Lw mit Originalrahmen,
40 x 50 x 2 cm
Privatbesitz, St. Christina
WV 182

Ohne Titel, 1972
Öl auf Pk mit Originalrahmen,
40 x 35 cm
Privatbesitz, Meran
WV 183

Ohne Titel, 1981
Öl auf Lw, 50 x 35 x 2 cm
Privatbesitz, St. Ulrich
WV 186

Ohne Titel, 1975
Öl auf Lw, 50 x 35 x 2 cm
Privatbesitz, St. Ulrich
WV 187

Die Wiese, 1979
Öl auf Lw, 40 x 50 x 2 cm
Privatbesitz, St. Christina
WV 188

Ohne Titel, 1970
Öl auf Lw, 50 x 40 x 2 cm
Privatbesitz, St. Ulrich
WV 189

Ohne Titel, 1971
Öl auf Lw, 50 x 30 x 2 cm
Privatbesitz, St. Ulrich
WV 190

Ohne Titel, 1968
Öl auf Lw, 50 x 40 x 2 cm
Privatbesitz, Meran
WV 191

Ohne Titel, 1974
Öl auf Lw, 50 x 40 x 2 cm
Privatbesitz, St. Ulrich
WV 192

Ohne Titel, 1971
Öl auf Lw, 50 x 40 x 2 cm
Privatbesitz, Meran
WV 193

Ohne Titel, 1971
Öl auf Lw, 50 x 40 x 2 cm
Privatbesitz, St. Ulrich
WV 194

Ohne Titel, undatiert
Öl auf Lw, 50 x 40 x 2 cm
Privatbesitz, Brixen
WV 195

Ohne Titel, o. J.
Öl auf Lw, 50 x 40 x 2 cm
Eigentümer unbekannt
WV 196**

Ohne Titel, o. J.
Öl auf Lw, weitere Angaben fehlen
Eigentümer unbekannt
WV 197*

Ohne Titel, 1973
Öl auf Lw, 60 x 35 x 2 cm
Privatbesitz, Wolkenstein
WV 198

Ohne Titel, undatiert
Öl auf Lw, 50 x 40 x 2 cm
Privatbesitz, St. Ulrich
WV 199

Ohne Titel, o. J.
Öl auf Lw, weitere Angaben fehlen
Eigentümer unbekannt
WV 200*

Ohne Titel, o. J.
Öl auf Lw, 50 x 40 x 2 cm
Eigentümer unbekannt
WV 201**

Ohne Titel, undatiert
Öl auf Lw, 50 x 40 x 2 cm
Privatbesitz, St. Christina
WV 202

Ohne Titel, o. J.
Öl auf Lw, weitere Angaben fehlen
Eigentümer unbekannt
WV 203*

Ohne Titel, 1976
Öl auf Lw, 50 x 40 x 2 cm
Privatbesitz, Brixen
WV 204

Ohne Titel, o. J.
Öl auf Lw, 50 x 40 x 2 cm
Eigentümer unbekannt
WV 205**

Ohne Titel, 1984
Öl auf Lw, 50 x 40 x 2cm
Privatbesitz, St. Ulrich
WV 206

Ohne Titel, 1971
Öl auf Lw, 40 x 40 x 2 cm
Privatbesitz, St. Christina
WV 207

Ohne Titel, 1968
Öl auf Lw, 50 x 40 x 2 cm
Privatbesitz, St. Ulrich
WV 208

Ohne Titel, 1971
Öl auf Lw, 50 x 40 x 2 cm
Privatbesitz, St. Christina
WV 209

Ohne Titel, 1969
Öl auf Lw, 50 x 40 x 2 cm
Privatbesitz, St. Ulrich
WV 210

Ohne Titel, 1971
Öl auf Lw, 50 x 40 x 2 cm
Privatbesitz, St. Ulrich
WV 211

Ohne Titel, 1968
Öl auf Lw, 50 x 40 x 2 cm
Privatbesitz, St. Christina
WV 212

Ohne Titel, 1968
Öl auf Lw, 50 x 40 x 2 cm
Privatbesitz, St. Ulrich
WV 213

Ohne Titel, 1969
Öl auf Lw, 50 x 40 x 2 cm
Privatbesitz, St. Ulrich
WV 214

Ohne Titel, 1973
Öl auf Lw, 50 x 40 x 2 cm
Privatbesitz, St. Ulrich
WV 215

Ohne Titel, 1967
Öl auf Lw, 50 x 40 x 2 cm
Privatbesitz, St. Ulrich
WV 216

Ohne Titel, 1971
Öl auf Lw, 50 x 40 x 2 cm
Privatbesitz, Meran
WV 217

Ohne Titel, 1981
Öl auf Lw, 50 x 40 x 2 cm
Privatbesitz, St. Ulrich
WV 218

Ohne Titel, 1976
Öl auf Lw, 50 x 40 x 2 cm
Privatbesitz, St. Christina
WV 219

Ohne Titel, 1981
Öl auf Lw, 50 x 40 x 2 cm
Privatbesitz, St. Ulrich
WV 220

Ohne Titel, o. J.
Öl auf Lw, 50 x 40 x 2 cm
Eigentümer unbekannt
WV 221**

Ohne Titel, 1969
Öl auf Lw, 50 x 40 x 2 cm
Privatbesitz, Meran
WV 222

Ohne Titel, 1974
Öl auf Lw, 40 x 50 x 2 cm
Privatbesitz, St. Christina
WV 223

Ohne Titel, o. J.
Öl auf Lw, 40 x 50 x 2 cm
Eigentümer unbekannt
WV 224**

Ohne Titel, 1971
Öl auf Lw, 50 x 40 x 2 cm
Privatbesitz, St. Christina
WV 225

Ohne Titel, 1969
Öl auf Lw, 40 x 50 x 2 cm
Privatbesitz, St. Ulrich
WV 226

Ohne Titel, undatiert
Öl auf Lw, 45 x 35 x 2 cm
Privatbesitz St. Christina
WV 227

Ohne Titel, 1969
Öl auf Lw, 60 x 35 x 2 cm
Privatbesitz, St. Christina
WV 228

Ohne Titel, 1979
Öl auf Lw, 50 x 40 x 2 cm
Privatsammlung, Meran
WV 229

Ohne Titel, 1982
Öl auf Pk, 50 x 35 cm
Privatbesitz, St. Ulrich
WV 230

Ohne Titel, o. J.
Öl auf Pk, 50 x 35 x 2 cm
Eigentümer unbekannt
WV 231**

Ohne Titel, o. J.
Öl auf Lw, weitere Angaben fehlen
Eigentümer unbekannt
WV 232*

Ohne Titel, 1980
Öl auf Pk, 50 x 35 cm
Privatbesitz, St. Ulrich
WV 233

Ohne Titel, 1981
Öl auf Pk, 35 x 50 x 2 cm
Privatbesitz, St. Christina
WV 234

Ohne Titel, o. J.
Öl auf Lw, 50 x 40 x 2 cm
Eigentümer unbekannt
WV 235**

Ohne Titel, undatiert
Öl auf Pk, 40 x 27 cm
Privatbesitz, Meran
WV 236

Ohne Titel, o. J.
Öl auf Pk, 70 x 50 cm
Eigentümer unbekannt
WV 237**

Ohne Titel, 1980
Öl auf Pk, 50 x 35 cm
Privatbesitz, St. Christina
WV 238

Ohne Titel, o. J.
Öl auf Pk, 50 x 35 cm
Eigentümer unbekannt
WV 239**

Ohne Titel, 1970
Öl auf Lw, 205 x 100 x 2 cm
Museum Gherdëina, St. Ulrich
WV 246

Ohne Titel, 1974
Öl auf Lw, 205 x 100 x 2 cm
Museum Gherdëina, St. Ulrich
WV 247

Ohne Titel, 1970
Öl auf Lw, 205 x 100 x 2 cm
Museum Gherdëina, St. Ulrich
WV 249

Ohne Titel, 1970
Öl auf Lw, 205 x 100 x 2 cm
Museum Gherdëina, St. Ulrich
WV 250

Ohne Titel, 1970
Öl auf Lw, 205 x 100 x 2 cm
Museum Gherdëina, St. Ulrich
WV 251

Ohne Titel, 1969
Öl auf Lw, 40 x 50 x 2 cm
Privatbesitz, St. Ulrich
WV 252

Ohne Titel, o. J.
Öl auf Lw, weitere Angaben fehlen
Eigentümer unbekannt
WV 256*

Ohne Titel, 1979
Öl auf Lw, 50 x 40 x 2 cm
Privatbesitz, St. Christina
WV 257

Ohne Titel, undatiert
Öl auf Lw, 50 x 40 x 2 cm
Privatbesitz, St. Christina
WV 258

Ohne Titel, undatiert
Öl auf Lw, 40 x 50 x 2 cm
Privatbesitz, St. Ulrich
WV 259

Ohne Titel, 1968
Öl auf Lw, 50 x 40 x 2 cm
Privatbesitz, Meran
WV 260

Ohne Titel, 1982
Öl auf Lw, 50 x 40 x 2 cm
Privatbesitz, St. Christina
WV 261

Ohne Titel, undatiert
Öl auf Lw, 40 x 50 x 2 cm
Privatbesitz, Brixen
WV 262

Ohne Titel, 1984
Öl auf Lw, 50 x 35 x 2 cm
Privatbesitz, St. Christina
WV 263

Ohne Titel, undatiert
Öl auf Lw, 50 x 40 x 2 cm
Privatbesitz, St. Ulrich
WV 264

Ohne Titel, 1971
Öl auf Lw, 60 x 50 x 2 cm
Privatbesitz, Meran
WV 265

Ohne Titel, 1970
Öl auf Lw, 70 x 50 x 2 cm
Privatbesitz, St. Christina
WV 266

Ohne Titel, 1969
Öl auf Lw, 60 x 50 x 2 cm
Privatbesitz, St. Christina
WV 267

Ohne Titel, 1969
Öl auf Lw, 60 x 50 x 2 cm
Privatbesitz, Brixen
WV 268

Ohne Titel, 1970
Öl auf Lw, 60 x 50 x 2 cm
Privatbesitz, St. Christina
WV 269

Ohne Titel, 1974
Öl auf Lw, 65 x 50 x 2 cm
Privatbesitz, St. Christina
WV 270

Ohne Titel, 1981
Öl auf Lw, 70 x 50 x 2 cm
Privatbesitz, Brixen
WV 271

Ohne Titel, 1971
Öl auf Lw, 60 x 50 x 2 cm
Privatbesitz St. Christina
WV 272

Ohne Titel, 1980
Öl auf Lw, 60 x 50 x 2 cm
Privatbesitz, St. Christina
WV 273

Ohne Titel, 1984
Öl auf Lw, 60 x 50 x 2 cm
Privatbesitz, St. Ulrich
WV 274

Ohne Titel, 1979
Öl auf Lw, 60 x 50 x 2 cm
Privatbesitz, Brixen
WV 275

Ohne Titel, 1976
Öl auf Lw, 60 x 50 x 2 cm
Privatbesitz, Brixen
WV 276

Nachtvögel, 1969
Öl auf Lw, 65 x 50 x 2 cm
Privatbesitz, St. Ulrich
WV 277

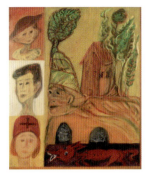
Ohne Titel, 1975
Öl auf Lw, 60 x 50 x 2 cm
Privatbesitz, St. Christina
WV 278

Ohne Titel, 1967
Öl auf Lw auf Originalrahmen,
40 x 50 x 2 cm
Privatbesitz, St. Christina
WV 279

Ohne Titel, 1969
Öl auf Lw, 60 x 50 x 2 cm
Privatbesitz, St. Christina
WV 280

Ohne Titel, 1970
Öl auf Lw, 60 x 50 x 2 cm
Privatbesitz, Meran
WV 281

Ohne Titel, o. J.
Öl auf Lw, weitere Angaben fehlen
Eigentümer unbekannt
WV 282*

Ohne Titel, 1971
Öl auf Lw, 60 x 40 x 2 cm
Privatbesitz, St. Christina
WV 283

Herbst, 1980
Öl auf Lw, 60 x 50 x 2 cm
Museum Ladin, St. Martin
in Thurn
WV 284

Ohne Titel, o. J.
Öl auf Lw, 60 x 50 x 2 cm
Eigentümer unbekannt
WV 285**

Ohne Titel, o. J.
Öl auf Lw, weitere Angaben fehlen
Eigentümer unbekannt
WV 286*

Ohne Titel, 1974
Öl auf Lw, 50 x 60 x 2 cm
Privatbesitz, St. Ulrich
WV 287

Hochfliegende Träume, 1971
Öl auf Lw, 60 x 40 x 2 cm
Privatbesitz, St. Ulrich
WV 288

Ohne Titel, 1969
Öl auf Lw, 60 x 50 x 2 cm
Privatbesitz, St. Christina
WV 289

Ohne Titel, 1974
Öl auf Lw, 60 x 40 x 2 cm
Privatbesitz, St. Ulrich
WV 290

Ohne Titel, 1971
Öl auf Lw, 60 x 50 x 2 cm
Privatbesitz, St. Christina
WV 291

Ohne Titel, 1969
Öl auf Lw, 60 x 50 x 2 cm
Privatbesitz, St. Christina
WV 292

Ohne Titel, o. J.
Öl auf Lw mit Originalrahmen,
50 x 60 x 2 cm
Eigentümer unbekannt
WV 293**

Ohne Titel, 1967
Öl auf Lw mit Originalrahmen,
50 x 60 x 2 cm
Privatbesitz, Brixen
WV 294

Ohne Titel, 1968
Öl auf Lw, 40 x 70 x 2 cm
Privatbesitz, St. Ulrich
WV 295

Ohne Titel, 1968
Öl auf Lw, 70 x 50 x 2 cm
Privatbesitz
WV 296

Ohne Titel, 1971
Öl auf Lw, 60 x 40 x 2 cm
Privatbesitz, St. Christina
WV 297

Ohne Titel, 1974
Öl auf Lw, 50 x 40 x 2 cm
Privatbesitz, St. Christina
WV 298

Ohne Titel, 1971
Öl auf Lw, 60 x 40 x 2 cm
Privatbesitz, St. Ulrich
WV 299

Ohne Titel, 1971
Öl auf Lw, 70 x 50 x 2 cm
Privatbesitz, Bozen
WV 300

Ohne Titel, 1971
Öl auf Lw, 60 x 50 x 2 cm
Privatbesitz, St. Ulrich
WV 301

Meereshöhe, 1971
Öl auf Lw, 70 x 50 x 2 cm
Privatbesitz, St. Christina
WV 302

Ohne Titel, 1969
Öl auf Lw, 60 x 40 x 2 cm
Privatbesitz, St. Ulrich
WV 303

Ohne Titel, 1971
Öl auf Lw, 70 x 50 x 2 cm
Privatbesitz, St. Christina
WV 304

Ohne Titel, 1969
Öl auf Lw, 70 x 50 x 2 cm
Privatbesitz St. Christina
WV 305

Ohne Titel, 1969
Öl auf Lw, 70 x 50 x 2 cm
Privatbesitz, St. Christina
WV 306

Ohne Titel, 1983
Öl auf Lw, 70 x 50 x 2 cm
Privatbesitz, St. Ulrich
WV 307

Extase am Berg, 1969
Öl auf Lw, 65 x 50 x 2 cm
Privatbesitz, Kolfuschg
WV 308

Blume und Kleid, 1975
Öl auf Lw, 70 x 50 x 2 cm
Privatbesitz, St. Ulrich
WV 309

Ohne Titel, o. J.
Öl auf Lw, weitere Angaben fehlen
Eigentümer unbekannt
WV 310*

Ohne Titel, o. J.
Öl auf Lw, weitere Angaben fehlen
Eigentümer unbekannt
WV 311*

Ohne Titel, 1980
Öl auf Lw, 65 x 50 x 2 cm
Privatbesitz, St. Christina
WV 312

Ohne Titel, undatiert
Öl auf Lw, 70 x 50 x 2 cm
Privatbesitz, St. Christina
WV 313

Ohne Titel, 1972
Öl auf Lw, 70 x 50 x 2 cm
Privatbesitz, St. Ulrich
WV 314

Mitten im Vulkan, 1981
Öl auf Lw, 70 x 50 x 2 cm
Privatbesitz, St. Christina
WV 315

Ohne Titel, 1984
Öl auf Lw, 70 x 50 x 2 cm
Privatbesitz, St. Christina
WV 316

Ohne Titel, 1971
Öl auf Lw, 70 x 50 x 2 cm
Privatbesitz, St. Ulrich
WV 318

Ohne Titel, 1969
Öl auf Lw, 70 x 50 x 2 cm
Privatbesitz, St. Christina
WV 319

Nacht und Traum, 1983
Öl auf Lw, 65 x 50 x 2 cm
Privatbesitz, St. Ulrich
WV 321

Ohne Titel, 1976
Öl auf Lw, 60 x 50 x 2 cm
Privatbesitz, St. Ulrich
WV 322

Ohne Titel, 1971
Öl auf Lw, 60 x 50 x 2 cm
Privatbesitz, St. Christina
WV 323

Ohne Titel, 1982
Öl auf Lw, 50 x 60 x 2 cm
Privatbesitz
WV 324

Ohne Titel, 1970
Öl auf Lw, 60 x 50 x 2 cm
Privatbesitz, St. Christina
WV 325

Ohne Titel, 1981
Öl auf Lw, 70 x 50 x 2 cm
Museum Ladin, St. Martin
in Thurn
WV 326

Ohne Titel, 1970
Öl auf Lw, 60 x 50 x 2 cm
Privatbesitz, St. Christina
WV 327

Ohne Titel, 1969
Öl auf Lw, 70 x 50 x 2 cm
Privatbesitz, Brixen
WV 328

Ohne Titel, 1967
Öl auf Lw, 70 x 50 x 2 cm
Privatbesitz, Brixen
WV 329

Ohne Titel, 1971
Öl auf Lw, 50 x 70 x 2 cm
Privatbesitz, Meran
WV 330

Ohne Titel, 1980
Öl auf Lw, 60 x 50 x 2 cm
Privatbesitz, St. Christina
WV 332

Ohne Titel, 1979
Öl auf Lw, 65 x 50 x 2 cm
Privatbesitz, St. Ulrich
WV 333

Ohne Titel, 1979
Öl auf Lw, 70 x 50 x 2 cm
Privatbesitz St. Christina
WV 334

Verführung, 1971
Öl auf Lw, 70 x 50 x 2 cm
Privatbesitz, St. Ulrich
WV 335

Ohne Titel, 1973
Öl auf Lw, 70 x 50 x 2 cm
Privatbesitz, Wolkenstein
WV 336

Leben im Sumpf, 1974
Öl auf Lw, 70 x 50 x 2 cm
Privatbesitz, St. Ulrich
WV 337

Ohne Titel, 1976
Öl auf Lw, 70 x 60 x 2 cm
Privatbesitz, St. Christina
WV 338

Ohne Titel, 1967
Öl auf Lw, 70 x 50 x 2 cm
Privatbesitz, St. Ulrich
WV 339

Ohne Titel, 1968
Öl auf Lw, 50 x 40 x 2 cm
Privatbesitz, St. Christina
WV 340

Ohne Titel, o. J.
Öl auf Lw, weitere Angaben fehlen
Eigentümer unbekannt
WV 341*

Ohne Titel, 1973
Öl auf Lw, 50 x 40 x 2 cm
Privatbesitz, St. Ulrich
WV 342

Ohne Titel, o. J.
Öl auf Lw, weitere Angaben fehlen
Eigentümer unbekannt
WV 343*

Ohne Titel, 1980
Öl auf Lw, 50 x 40 x 2 cm
Privatbesitz, St. Christina
WV 344

Ohne Titel, 1979
Öl auf Lw, 50 x 40 x 2 cm
Privatbesitz, Meran
WV 345

Ohne Titel, 1974
Öl auf Lw, 50 x 40 x 2 cm
Privatbesitz, St. Christina
WV 346

Ohne Titel, 1969
Öl auf Lw, 50 x 40 x 2 cm
Privatbesitz, St. Ulrich
WV 347

Ohne Titel, 1969
Öl auf Lw, 60 x 40 x 2 cm
Privatbesitz, St. Christina
WV 348

Ohne Titel, 1981
Öl auf Lw, 50 x 40 x 2 cm
Privatbesitz, St. Christina
WV 349

Ohne Titel, 1979
Öl auf Lw, 50 x 40 x 2 cm
Privatbesitz, St. Christina
WV 350

Ohne Titel, 1971
Öl auf Lw, 50 x 40 x 2 cm
Privatbesitz, Meran
WV 351

Ohne Titel, 1978
Öl auf Lw, 50 x 40 x 2 cm
Privatbesitz, St. Ulrich
WV 352

Der junge Göthe, 1969
Öl auf Lw, 60 x 35 x 2 cm
Privatbesitz, St. Christina
WV 353

Ohne Titel, 1973
Öl auf Lw, 50 x 35 x 2 cm
Privatbesitz, St. Christina
WV 354

Ohne Titel, 1971
Öl auf Lw, 45 x 35 x 2 cm
Privatbesitz, St. Ulrich
WV 355

Vor dem Konzert, 1973
Öl auf Lw mit Originalrahmen,
100 x 75 x 2 cm
Privatbesitz, St. Ulrich
WV 370

Ohne Titel, 1968
Öl auf Lw, 90 x 50 x 2 cm
Privatbesitz, St. Christina
WV 371.1

Morgenbegrüssung, 1979
Öl auf Lw, 90 x 50 x 2 cm
Privatbesitz, St. Ulrich
WV 371.2

Ohne Titel, 1971
Öl auf Lw, 60 x 50 x 2 cm
Privatbesitz, St. Ulrich
WV 372.1

Ohne Titel, 1971
Öl auf Lw, 70 x 50 x 2 cm
Privatbesitz, St. Christina
WV 372.2

Ohne Titel, 1974
Öl auf Lw, 70 x 40 x 2 cm
Privatbesitz, St. Ulrich
WV 373

Ohne Titel, 1967
Öl auf Lw mit Originalrahmen,
40 x 50 x 2 cm
Privatbesitz, St. Ulrich
WV 374

Ohne Titel, 1968
Öl auf Lw, 40 x 30 x 2 cm
Privatbesitz, St. Ulrich
WV 375

Ohne Titel, 1982
Öl auf Pk, 70 x 50 cm
Privatbesitz, St. Ulrich
WV 377

Ohne Titel, 1977
Öl auf Pk, 60 x 50 cm
Privatbesitz, St. Ulrich
WV 381

Ohne Titel, 1980
Öl auf Pk, 60 x 40 cm
Privatbesitz, St. Ulrich
WV 383

Ohne Titel, 1984
Öl auf Pk, 60 x 40 cm
Privatbesitz, St. Ulrich
WV 384

Ohne Titel, 1979
Öl auf Pk, 50 x 40 cm
Privatbesitz
WV 386

Ohne Titel, undatiert
Öl auf Pk, 50 x 35 cm
Privatbesitz, St. Ulrich
WV 387

Ohne Titel, undatiert
Öl auf Pk, 50 x 35 cm
Privatbesitz, St. Ulrich
WV 388

Ohne Titel, undatiert
Öl auf Pk, 50 x 35 cm
Privatbesitz, Bozen
WV 389

Ohne Titel, undatiert
Öl auf Pk, 50 x 35 cm
Privatbesitz, St. Ulrich
WV 390

Ohne Titel, undatiert
Öl auf Pk, 50 x 35 cm
Privatbesitz, St. Ulrich
WV 391

Ohne Titel, undatiert
Öl auf Pk, 50 x 30 cm
Privatbesitz, St. Ulrich
WV 392

Ohne Titel, undatiert
Öl auf Pk, 50 x 30 cm
Privatbesitz, St. Ulrich
WV 393

Ohne Titel, undatiert
Öl auf Pk, 50 x 30 cm
Privatbesitz, St. Ulrich
WV 394

Münze der Biegugung, undatiert
Öl auf Pk, 50 x 30 cm
Privatbesitz, St. Ulrich
WV 395

Ohne Titel, 1979
Öl auf Pk, 45 x 35 cm
Privatbesitz, Meran
WV 396

Ohne Titel, 1980
Öl auf Pk, 40 x 35 cm
Privatbesitz, St. Ulrich
WV 397

Ohne Titel, 1980
Öl auf Pk, 35 x 40 cm
Privatbesitz, St. Ulrich
WV 399

Ohne Titel, 1984
Öl auf Pk, 45 x 60 cm
Privatbesitz, St. Ulrich
WV 400

Jungfrau, 1974
Öl auf Lw, 25 x 20 x 2 cm
Museum Ladin, St. Martin
in Thurn
WV 401.1

Ohne Titel, 1984
Öl auf Pk, 70 x 50 cm
Privatbesitz, St. Ulrich
WV 401.2

Ohne Titel, 1980
Öl auf Pk, 60 x 40 cm
Privatbesitz, St. Ulrich
WV 402

Ohne Titel, 1983
Öl auf Pk, 50 x 40 cm
Privatbesitz, St. Ulrich
WV 403

Ohne Titel, undatiert
Öl auf Pk, 50 x 35 cm
Privatbesitz, Meran
WV 406

Ohne Titel, undatiert
Öl auf Pk, 50 x 35 cm
Privatbesitz, St. Ulrich
WV 407

Ohne Titel, undatiert
Öl auf Pk, 50 x 35 cm
Privatbesitz St. Ulrich
WV 408

Ohne Titel, 1982
Öl auf Pk, 45 x 35 cm
Privatbesitz, Meran
WV 412

Ohne Titel, 1981
Öl auf Pk, 40 x 35 cm
Privatbesitz, St. Ulrich
WV 413

Ohne Titel, 1968
Öl auf Lw, 90 x 50 x 2 cm
Privatbesitz, Wolkenstein
WV 500

Ohne Titel, 1980
Öl auf Pk, 70 x 50 cm
Privatbesitz
WV 501

Ohne Titel, 1983
Öl auf Lw, 90 x 85 x 2 cm
Privatbesitz, St. Christina
WV 502

Bewegte Atmosphäre, 1968
Öl auf Lw mit Originalrahmen,
100 x 120 x 2 cm
Privatbesitz, St. Christina
WV 503

Ohne Titel, 1978
Öl auf Pk, 40 x 35 cm
Privatbesitz, St. Christina
WV 504

Ohne Titel, 1980
Öl auf Pk, 60 x 45 cm
Privatbesitz, St. Christina
WV 505

Ohne Titel, 1980
Öl auf Pk, 60 x 40 cm
Privatbesitz, St. Christina
WV 506

Ohne Titel, undatiert
Öl auf Pk, 50 x 35 cm
Privatbesitz, St. Christina
WV 507

Ohne Titel, 1982
Öl auf Pk, 35 x 45 cm
Privatbesitz, St. Christina
WV 508

Ohne Titel, 1968
Öl auf Lw, 90 x 50 x 2 cm
Privatbesitz, St. Christina
WV 509

Ohne Titel, undatiert
Öl auf Pk, 50 x 30 cm
Privatbesitz, St. Ulrich
WV 510

Ohne Titel, undatiert
Öl auf Pk, 50 x 30 cm
Privatbesitz, St. Ulrich
WV 511

Ohne Titel, 1981
Öl auf Pk, 40 x 60 cm
Privatbesitz, St. Ulrich
WV 512

Springender Hase, 1973
Öl auf Lw, 100 x 90 x 2 cm
Privatbesitz, St. Ulrich
WV 513

Ohne Titel, 1970
Öl auf Lw, 50 x 60 x 2 cm
Privatbesitz, St. Christina
WV 514

Ohne Titel, undatiert
Öl auf Pk, 50 x 35 cm
Privatbesitz, St. Christina
WV 515

Ohne Titel, undatiert
Öl auf Pk, 50 x 30 cm
Privatbesitz, St. Christina
WV 516

Ohne Titel, 1983
Öl auf Pk, 50 x 35 cm
Privatbesitz, St. Christina
WV 517

Sonne u. Mond, 1970
Schwarzer Kugelschreiber auf Pp,
34,5 x 24,5 cm
Privatbesitz, Meran
WV 600

Ohne Titel, 1975
Blauer Kugelschreiber auf Pp,
31 x 22,5 cm
Privatbesitz, Meran
WV 601

Titel nicht lesbar, 1983
Oranger Kugelschreiber auf Pp,
24 x 31,5 cm
Privatbesitz, Meran
WV 602

Babylon, 1975
Blauer Kugelschreiber auf Pp,
32 x 24 cm
Privatbesitz, Meran
WV 603

Ohne Titel, 1975
Schwarzer Kugelschreiber auf Pp,
31 x 22,5 cm
Privatbesitz, Meran
WV 604

Ohne Titel, 1975
Oranger Kugelschreiber auf Pp,
24 x 18 cm
Privatbesitz, Meran
WV 605

Ohne Titel, 1975
Roter Kugelschreiber auf Pp,
30 x 21 cm
Privatbesitz, Meran
WV 606

Ohne Titel, 1975
Brauner Kugelschreiber auf Pp,
32 x 24 cm
Privatbesitz, Meran
WV 607

Wurzelblume, 1983
Oranger Kugelschreiber auf Pp,
31,5 x 24 cm
Privatbesitz, Meran
WV 608

Ohne Titel, 1983
Oranger Kugelschreiber auf Pp,
32 x 24 cm
Privatbesitz, Meran
WV 609

Spezi, 1969
Schwarzer Kugelschreiber auf Pp,
34,5 x 25 cm
Privatbesitz, Meran
WV 610

Ohne Titel, 1972
Kina auf Papier, 40 x 30 cm
Privatbesitz, Meran
WV 611

Ohne Titel, 1972
Kina auf Papier, 40 x 30 cm
Privatbesitz, Meran
WV 612

Ohne Titel, 1975
Blauer Kugelschreiber auf Pp,
49,5 x 35 cm
Privatbesitz, Meran
WV 613

Autobahn, 1975
Blauer Kugelschreiber auf Pp,
49,5 x 35 cm
Privatbesitz, Meran
WV 614

Ohne Titel, 1975
Blauer Kugelschreiber auf Pp,
49,5 x 35 cm
Privatbesitz, Meran
WV 615

Ohne Titel, 1974
Kina auf Papier, 31 x 23 cm
Privatbesitz, Meran
WV 616

Ohne Titel, 1974
Kina auf Papier, 31 x 23 cm
Privatbesitz, Meran
WV 617

Ohne Titel, 1974
Kina auf Papier, 31 x 22,5 cm
Privatbesitz, Meran
WV 618

Ohne Titel, 1975
Blauer Kugelschreiber auf Pp,
31 x 22,5 cm
Privatbesitz, Meran
WV 619

Ohne Titel, 1971
Kina auf Papier, 25 x 17,5 cm
Privatbesitz, Meran
WV 620

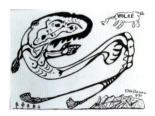

Ohne Titel, 1975
Bleistift auf Papier, 21 x 16 cm
Privatbesitz, Meran
WV 621

Ohne Titel, 1975
Bleistift auf Papier, 21 x 16 cm
Privatbesitz, Meran
WV 622

Ohne Titel, 1970
Filzstift auf Papier, 34,5 x 25 cm
Privatbesitz, Meran
WV 623

Ohne Titel, 1969
Pastellkreide mit Wasserfarben
auf Papier, 49 x 34 cm
Privatbesitz, Meran
WV 624

Ohne Titel, 1974
Pastellkreide mit Wasserfarben
auf Papier, 49 x 34 cm
Privatbesitz, Meran
WV 625

Ohne Titel, 1974
Pastellkreide mit Wasserfarben
auf Papier, 49 x 34 cm
Privatbesitz, Meran
WV 626

Ohne Titel, 1974
Pastellkreide mit Wasserfarben
auf Papier, 49 x 34 cm
Privatbesitz, Meran
WV 627

Ohne Titel, 1974
Pastellkreide mit Wasserfarben
auf Papier, 49 x 34 cm
Privatbesitz, Meran
WV 628

Ohne Titel, 1972
Schwarzer Kugelschreiber auf Pp,
40 x 30 cm
Privatsammlung, St. Christina
WV 629

Ohne Titel, 1972
Schwarzer Kugelschreiber auf Pp,
48 x 36 cm
Privatsammlung, St. Christina
WV 630

Ohne Titel, 1975
Blauer Kugelschreiber auf Pp,
50 x 35 cm
Privatsammlung, St. Christina
WV 631

Ohne Titel, 1975
Blauer Kugelschreiber auf Pp,
50 x 35 cm
Privatsammlung, St. Christina
WV 632

In kleinen Dingen, 1975
Blauer Kugelschreiber auf Pp,
50 x 35 cm
Privatsammlung, St. Christina
WV 633

Ohne Titel, 1972
Schwarzer Kugelschreiber auf Pp,
42 x 56 cm
Privatsammlung, St. Christina
WV 634

Ohne Titel, 1972
Schwarzer Kugelschreiber auf Pp,
56 x 42 cm
Privatsammlung, St. Christina
WV 635

Ohne Titel, 1972
Schwarzer Kugelschreiber auf Pp,
56 x 42 cm
Privatsammlung, St. Christina
WV 636

Ohne Titel, 1975
Roter Kugelschreiber auf Pp,
30 x 21 cm
Privatsammlung, St. Christina
WV 637

Ohne Titel, 1975
Oranger Kugelschreiber auf Pp,
30 x 21 cm
Privatsammlung, St. Christina
WV 638

Ohne Titel, 1983
Oranger Kugelschreiber auf Pp,
30 x 21 cm
Privatsammlung, St. Christina
WV 639

Ohne Titel, 1975
Blauer Kugelschreiber auf Pp,
50 x 35 cm
Privatsammlung, St. Christina
WV 640

Ohne Titel, 1975
Blauer Kugelschreiber auf Pp,
50 x 35 cm
Privatsammlung, St. Christina
WV 641

Ohne Titel, 1975
Blauer Kugelschreiber auf Pp,
50 x 35 cm
Privatsammlung, St. Christina
WV 642

Ohne Titel, 1975
Blauer Kugelschreiber auf Pp,
50 x 35 cm
Privatsammlung, St. Christina
WV 643

1975, 1975
Roter Kugelschreiber auf Pp,
30 x 21 cm
Privatsammlung, St. Christina
WV 644

Ohne Titel, 1975
Blauer Kugelschreiber auf Pp,
31 x 23 cm
Privatsammlung, St. Christina
WV 645

Ohne Titel, 1975
Blauer Kugelschreiber auf Pp,
31 x 23 cm
Privatsammlung, St. Christina
WV 646

Ohne Titel, 1974
Schwarzer Kugelschreiber auf Pp,
31 x 23 cm
Privatsammlung, St. Christina
WV 647

Ohne Titel, 1975
Blauer Kugelschreiber auf Pp,
31 x 23 cm
Privatsammlung, St. Christina
WV 648

Ohne Titel, 1975
Blauer Kugelschreiber auf Pp,
50 x 35 cm
Privatsammlung, St. Christina
WV 649

Ohne Titel, 1975
Blauer Kugelschreiber auf Pp,
50 x 35 cm
Privatsammlung, St. Christina
WV 650

Meteor, 1975
Roter Kugelschreiber auf Pp,
40 x 30 cm
Privatsammlung, Bozen
WV 651

Ohne Titel, 1975
Roter Kugelschreiber auf Pp,
40 x 30 cm
Privatsammlung, Bozen
WV 652

Ohne Titel, 1975
Blauer Kugelschreiber auf Pp,
30 x 21 cm
Privatsammlung
WV 653

Ohne Titel, 1975
Schwarzer Kugelschreiber auf Pp,
30 x 21 cm
Privatsammlung
WV 654

Ohne Titel, 1975
Schwarzer Kugelschreiber auf Pp,
30 x 21 cm
Privatsammlung
WV 655

Ohne Titel, 1975
Blauer Kugelschreiber auf Pp,
30 x 21 cm
Privatsammlung
WV 656

Anhang

Markus Vallazza,
Franz Josef Noflaner,
1983, Mischtechnik

Markus Klammer

Chronik zu Leben und Werk

Kindheit und Jugendjahre bis 1926
Franz Josef Noflaner (seiner eigenen Signatur nach Franz, meist aber Franz Jos. oder Franz J. Noflaner) wird am 9. September 1904 in St. Ulrich in Gröden geboren. Die Namensgebung bezeugt eine damals allgemein empfundene Verbundenheit mit Kaiser und k. und k. Monarchie. Der Vater Philipp Noflaner ist aus Villnöss gebürtig und betreibt in St. Ulrich eine kleine Werkstatt für Holzschnitzerei. Nach dem Tod seiner Frau Serafina Hofer bringt er die kleine Tochter Filippina in die zweite Ehe mit seiner Schwägerin Maria Hofer mit. Franz ist das zweite von fünf gemeinsamen Kindern (Philomena, Franz, Serafin, Anton, Rufin). Die Familie zieht mehrmals um und wohnt ab 1911 im später erworbenen Haus in Pescosta Nr. 1, das geografisch zwar zur Gemeinde St. Christina gehört, durch die Nähe zum Hauptort und aus familiären Gewohnheiten bleibt St. Ulrich aber der Bezugsort.
In den Kriegsjahren nach 1914 verbringt Franz die Sommermonate auf einem Bauernhof bei Verwandten in Villnöss. Nach der achtjährigen Grundschule besucht er die dreijährige Fachschule mit Schwerpunkt Bildhauerei in St. Ulrich. Er gehört zu den letzten Jahrgängen, denen die Schule mit Unterricht in deutscher Sprache zur Verfügung steht. Seine Schulnoten sind überdurchschnittlich gut. Nach einer weiteren Fachausbildung in der Werkstatt von Gottfried Moroder arbeitet er als Schnitzer und Restaurator im Familienbetrieb. Die Alltagssprache in der Familie ist nicht Ladinisch, sondern Deutsch, das zudem bewusst gepflegt wird, was einer kulturellen Orientierung und Identifikation entspricht.
In der Zeit nach der Teilung Tirols 1919 verschärfen sich in Gröden die Spannungen und Konflikte zwischen der einsetzenden italienischen Vereinnahmung und einer allgemein vorherrschenden

Franz Noflaner
um 1924

Die Geschwister Filomena,
Rufin, Franz und Anton,
um 1938

Affinität zur Geschichte und Tradition Deutschtirols. Bereits in der Schulzeit hatte sich Franz für Literatur begeistert, insbesondere für Goethe und Schiller, Hölderlin und Kleist. Er lernte zahlreiche Gedichte auswendig, was ihm den Beinamen „Goethe" eintrug. In seinem Nachlass sind noch einige Populärausgaben und Anthologien aus dieser Zeit erhalten, etwa *Schillers Werke* (Ausgabe der Deutschen Verlagsanstalt 1902), die *Geschichte der Deutschen Nationalliteratur* (hrsg. von A.F.C. Vilmar, Berlin 1907) oder *Das Erbe* (hrsg. von Tim Klein, München 1921) mit Beiträgen über Literatur und Kunst von Dürer, Philipp Otto Runge, Hans von Marées, Winckelmann u.a. Bemerkenswert sind seine Interessen über die Literatur und Sprachkultur hinaus – und das in einer Zeit, als Gröden kein förderliches Ambiente für derlei Leidenschaften bot. Die familiären Verhältnisse erlauben eine weitere Ausbildung oder ein Studium nicht, worin der Ursprung liegt für das Etikett „Autodidakt" und die spätere fachliche Herabwürdigung gegenüber der als akademisch ausgegebenen Kunst und Literatur. Mehr und mehr rückt die Überzeugung in den Hintergrund, sich als Holzschnitzer oder Bildhauer weiterentwickeln zu wollen.

Mit 22 Jahren beginnt Franz Josef Noflaner selbst literarische Texte zu verfassen und träumt von einer Laufbahn als Schriftsteller. Aus eigenem Antrieb und aus Kompensation betreibt er vielseitige Recherchen, er lernt Stenografie anhand eines Selbstlehrbuchs, besorgt sich Fachliteratur über Geschichte und Kunst und verschafft sich im Lauf der Jahre einen umfassenden Einblick in die Primärtexte der europäischen und vor allem der deutschen Dichtung seit dem Mittelalter. Ein Hauptimpuls dabei: Entfaltung einer poetischen Ästhetik und Traditionsbindung bei geistvoller Sprachbeherrschung.

Die Jahre 1926 bis 1945

Infolge der Zerwürfnisse mit dem Vater bezüglich der Berufswahl verlässt Franz den Familienhaushalt und verdient sich von nun an den Lebensunterhalt als Arbeiter und Handlanger bei Baufirmen und als Restaurator und Maler bei anderen Gelegenheiten. Zeitweise erhält er Kost und Logis bei seinen Arbeitgebern, später wohnt er unter spartanischen Verhältnissen in einer Kammer im Dachgeschoss oder im Parterre des Vaterhauses. Die Nächte bieten ihm Refugium für das Lesen und Schreiben. Noflaner beschäftigt sich ausführlich mit den Werken der Romantik, mit Georg Büchner und Gerhart Hauptmann und vor allem mit Zeitgenossen wie Hermann Hesse und Thomas Mann. Die Vergabe des Literaturnobelpreises 1912 an Gerhart Hauptmann, 1929 an Thomas Mann und Jahre später, 1946, an Hermann Hesse („dem erfolgreichsten Dreigestirn") registriert er als Ermutigung für sein eigenes Begehren, dass man als Schriftsteller zu Ansehen und Erfolg gelangen kann.

Für das gesellschaftliche und kulturelle Leben der Menschen in den ladinischen Tälern bringen die Jahrzehnte vor und nach 1930 widersprüchliche Entwicklungen: einerseits wirtschaftlichen Aufschwung und Zunahme des Winter- und Sommertourismus parallel zur Italianisierung und faschistischen Zwangsverwaltung. In dieser Zeit entstehen die ersten handschriftlichen Sammlungen und frühen Gedichte, und Noflaner arbeitet an seinem ersten Roman *Aufruhr in den Städten*, Texte, die etwa ab 1931 in Typoskripte transkribiert werden. Daneben beschäftigt er sich in Essays wie *Rund um den Feuilleton* (1930) mit allgemeinen zeitkritischen und politischen Fragen, sein Blick ist öfter auf Deutschland oder Europa gerichtet und er meidet ganz direkte tages- oder lokalpolitische Aussagen zu Ladinien oder Südtirol. 1931 äußert er sich kritisch über den Nationalsozialismus

Der Personalausweis
von 1938 für die geplante
Auswanderung

und plädiert für den Fortbestand der deutschen Regierung, gemeint ist das Kabinett Brüning nach dem Zerfall der Weimarer Koalition im Reichstag.

Titel wie *Die Angst ums Abendland* (1930), *Hat das lyrische Gedicht heute noch Lebenswert?* (1931), *Die Leute schimpfen so entsetzlich!* (um 1931) und später *Der Tod der Demokratien* (1939), *Sommerliches Resümee* (1939) oder *Das Problem der Ehe* (1940) skizzieren den literarisch oder gesellschaftspolitisch angehauchten Horizont. Sie sind an imaginäre zeitgenössische Leser adressiert, womit Noflaner auch eine Hoffnung verbindet, das Schreiben zu seiner beruflichen Neuorientierung zu nutzen. Der Essay *Atlantis* von 1940 nach dem ersten Kriegswinter offenbart allerdings politischen Leichtsinn und abenteuerliches Kalkül, geblendet von den anfänglichen militärischen Erfolgen Nazi-Deutschlands, und verknüpft damit die Hoffnung auf den deutschen Sieg.

Zwischen 1930 und 1932 bewirbt sich Noflaner bei den renommiertesten deutschen und österreichischen Literaturverlagen und Zeitschriften um die Drucklegung von Texten. Er schreibt und sendet Proben an den Verlag für moderne Literatur in Braunschweig, an den DuMont Verlag in Köln, an den Wellenbrecher Verlag in Cuxhaven, an die Verlage von Kurt Wolff und Georg Müller in München, an den

Franz Josef Noflaner
am 12. Mai 1944 im
Talferbett in Bozen

Badenia Verlag in Karlsruhe, an den Transmare Verlag, den Scherl Verlag und die ‚Literarische Welt' in Berlin, die allesamt erfolglos versanden. Und 1931 schickt er eine Bewerbung für den Posten eines Feuilleton-Redakteurs an die „Kölnische Zeitung" und reagiert auf die Ablehnung mit seiner rauen und sarkastischen Diktion (siehe Band I, Briefe und verstreute Texte, S. 209 ff.). Die 1930er-Jahre sind eine erste Zeit kontinuierlicher literarischer Produktion. Es entstehen Lyrik, ein weiterer Roman *Herzschlag unserer Zeit*, Dramenentwürfe, moderne Märchen und Kurzprosa.
Im Jahr 1939 betreffen die Auswirkungen der deutschen und italienischen Kriegspolitik und der Plan einer ethnischen Flurbereinigung und Umsiedlung der deutschen Bevölkerung auch Gröden. Die Haltung der Familie Noflaner in der Optionsfrage ist gespalten. Franz und der Bruder Rufin wählen die Aussiedlung, die Eltern und drei Geschwister das Dableiben. Allerdings kommt es nicht zur Abwanderung. Der Kriegsbeginn bringt alles zum Stillstand. Auch zu einem militärischen Kriegseinsatz von Franz Josef kommt es nicht.
In der Zeit vor und während des Krieges versucht Noflaner auf schriftlichem Weg Kontakte zu einflussreichen Leuten aufzunehmen und auf sich aufmerksam zu machen. Er schreibt Briefe an Hitler und Mussolini und an Vertreter von Institutionen in Deutschland, die

Zwischen 1956 und 1960
erscheinen diese vier Bände
von Franz Josef Noflaner

nicht überliefert sind. Entsprechende Reaktionen bleiben aber aus. 1942 adressiert er zahlreiche Kunstpostkarten mit Darstellungen von Goethe, Schiller, Beethoven, Richard Wagner, Raffael u.a. mit der Anrede „Lieber Freund", „Lieber Geselle" oder „Bester Gefährte" und mit Botschaften und Nachrichten an sich selbst. Die Wohnadresse lautet: „Al Signor Francesco Noflaner presso Filippo, Ortisei – Gardena". Erst nach Errichtung der Operationszone Alpenvorland und der Übernahme des Landes durch die deutsche Wehrmacht wird er 1944 bis zur Entlassung nach Kriegsende im Mai 1945 zum Dienst als Dolmetscher im Polizeiregiment in Sterzing verpflichtet. Über besondere Einsätze oder Erfahrungen sind keine Nachrichten überliefert, nur der Eindruck, dass er die Kriegsjahre relativ glimpflich übersteht.

1945 bis 1966: der Schriftsteller

In den Nachkriegsjahren setzt Noflaner die literarische Arbeit mit frenetischer Intensität fort, das Jahr 1945 hinterlässt aber keine Zäsur in der Behandlung der Stoffe oder Themen und auch nicht in der poetischen Sprache. Er wechselt mehrmals das Modell der Schreibmaschine und gibt seiner literarischen Arbeit eine durchgehend einheitliche und geordnete Form. In den nachfolgenden drei Jahrzehnten wächst die umfangreiche literarische Produktion, von der man in der Öffentlichkeit erst im Zusammenhang mit seinem malerischen Werk Notiz nehmen wird. Dutzende von Typoskripten mit Paginierung und Inhaltsverzeichnis, datiert und signiert, entstehen neben weitläufigen handschriftlichen Aufzeichnungen, allesamt chronologisch geordnet und abgelegt.

Ohne eine ernsthafte Intention damit zu verbinden, begleitet Noflaner seit den 1930er-Jahren sein ausgesprochen bildhaftes dichterisches Denken und Schreiben mit der Lust, gelegentlich auch zu zeichnen und skizzieren. Es entstehen Umrisszeichnungen, Schattenrisse, Karikaturen und „Vignetten", so benennt er sie später selbst, und es sind Signale einer erst noch ausbrechenden zeichnerischen und malerischen Intuition. Kenntnis von den Ergebnissen seiner Obsessionen erhalten lange Zeit nur Freunde und Eingeweihte in Gröden, für die er als Ausdruck einer persönlichen Gunst und Gesinnungsgemeinschaft ausgewählte Texte und Zeichnungen zusammenstellt oder sie als kleine vervielfältigte Broschüren verkauft.

Nach dem Tod des Vaters 1955 übernimmt Franz dessen Werkstatt und richtet sich dort seine Behausung ein. Weil sich keine Möglichkeiten für die Veröffentlichung seiner Texte ergeben, von einem „Kulturleben" ist im Lande noch lange nicht die Rede, und weil er selbst zum aktuellen literarischen Verlagswesen jenseits des Brenners

einen unüberbrückbaren Kontrast sieht, gründet er 1960 den eigenen Zyklus Verlag, ein Ein-Mann-Betrieb, dessen Inhaber sich den Lebensunterhalt mit Gelegenheitsarbeiten verdienen muss und dessen Haupttätigkeit in der Schriftstellerei liegt.

Ab 1956 erscheinen im Jahresrhythmus die vier Anthologien, die er als Autor und Herausgeber auf eigene Kosten bei der Druckerei Athesia in Bozen in Auftrag gibt: *Gebundene Ähren. Prosa und Lyrik.* Athesia Bozen 1956; *Kristall und Sonnenlicht. Gemischte Dichtungen.* Athesia Bozen 1957; *Antennen wie Schwingungen.* Athesia Bozen 1959 und *Die gefräßige Straße. Einfaches, verzwicktes und vertracktes Schrifttum.* Zyklus Verlag Gröden 1960. Auf beigelegten Informationsblättern werden das Verlagsprogramm und ein Dutzend weiterer Titel mit Lyrik, Romanen und Prosa angekündigt. Ein in Ölfarbe auf Leinwand gemaltes Schild „Bücher Libri" an der Haustüre in Pescosta Nr. 1 weist auf die Verkaufsstelle hin; zu einem Vertrieb der Bücher über den Buchhandel kommt es jedoch nicht. Bezeichnend ist, dass über diesen Verlag und seine Bücher keine einzige Zeitungsnotiz erschienen ist.

In den 1950er-Jahren formiert sich in Gröden außerhalb des traditionellen Kunst- und Schnitzhandwerks eine neue Künstlergeneration; mit einzelnen Exponenten derselben steht Noflaner in einem freundschaftlichen Austausch. Vor allem zum beinahe zwanzig Jahre jüngeren Zeichner Markus Vallazza entwickelt sich eine lebenslange Freundschaft, auch weil ihm Noflaner mit seiner prägnanten Persön-

In Eigenregie gedruckte
Verlagsprospekte mit ange-
kündigten Buchprojekten

Handgemaltes Schild
für den Buchverkauf

lichkeit und aussagekräftigen Physiognomie als bevorzugtes Modell für seine Porträts dient. Sie organisieren gemeinschaftliche Besuche von Museen und Kunstschauplätzen wie Florenz und Siena. Auf einer dieser Reisen nach Berlin trifft Noflaner Gottfried Benn, der aber keine sonderliche Notiz von ihm nimmt.
Quasi um das Image eines „Autodidakten" zu widerlegen, eignet sich Franz Noflaner neben einer erstaunlichen Fachbibliothek eine sehr eigenständige Vorstellung vom europäischen Erbe der Literatur und Kunst an und erweist sich dabei von ihm wenig eingeschüchtert. In seinem Nachlass fanden sich nicht nur fachliche Meilensteine der Literaturwissenschaft und Leinenausgaben von Emil Staiger, der „Wilpert", Paul Fechter, der 24-bändige „Romanführer" zur Weltliteratur oder Nachschlagewerke wie Kindlers Lexikon zur Malerei sowie Texte über Literatur- und Kunsttheorie (Auswahl). Auffallend ist das breite Spektrum an Werkausgaben und Künstlermonografien: August Strindberg, Aristoteles, Shakespeare, Karl Marx, Heinrich Heine, Oswald Spengler, Heidegger, Marcel Proust, Nietzsche, Trakl, Benn, Kafka, Brecht, Böll, Gunnar Gunnarson, Truman Capote, Hemingway, Ezra Pound, Rembrandt, Dürer, Gauguin, Emanuel Fohn und viele mehr. Anstatt sich auf seine Vorbilder zu beziehen, zog es Noflaner gelegentlich vor, sich in spitzen Ausfällen abzugrenzen oder in Selbstüberschätzung von ihnen abzuspringen, etwa gegen Goethe, Ezra Pound, Thomas Mann, H. M. Enzensberger oder später Norbert C. Kaser (1983).

17 – III – 1969

Mich drängt es jetzt
Furore wohl zu machen.
Sei es im Dasein,
sei's die Existenz.

Es muß zum Krach
der Kunstgeschichte kommen
in diesen Buden
störrischer Verblendung.

Die Lüfte haben
manches Spiel verloren!
Den Winden wurde
die Erregung matt.

Hab das Bedürfnis
nun ... mich selbst zu finden
um zu beweisen
wer ich war und bin.

Aus dem Typskript *Türklopfer*,
1975, S. 92

**UNIONE ARTISTI ALTOATESINI
SÜDTIROLER KÜNSTLERBUND**
UFFICIO: BOLZANO · VIA ALTO ADIGE 2 · SEKRETARIAT: BOZEN · TIROLER ETSCHLAND-STRASSE 2
STUDIO DR. ARCH. E. PATTIS

PROT. N. .... BOLZANO, 6. Oktober 1967
BOZEN,
OGGETTO:
BETRIFFT:

Herrn
FRANZ NOFLANER
Peskosta nr. 1
St. Ulrich

Sehr geehrter Herr Noflaner!

Leider muss ich Ihnen mitteilen, dass Ihre Aufnahme
in den Südtiroler Künstlerbund auch unter der Sparte
"Schriftsteller" vom Ausschuss abgelehnt worden ist.

Ihre Arbeiten stehen im Sekretariat des SKB bereit und
wir bitten Sie dieselben bei Gelegenheit abzuholen.

Mit freundlichen Grüssen.

SÜDTIROLER KÜNSTLERBUND

Noflaner hält sich selbst für verkannt und reif als Anwärter auf den Nobelpreis. In seiner zweiten Anthologie schreibt er in der Vorbemerkung: „Hinter diesen Gedichten verbirgt sich eine mitteleuropäische Tragödie, die sich auf die unwahrscheinlichste Weise vollendet hat. Und es wäre daher tatsächlich an der Zeit, dass sich ein rühriger, kurzum irgendein tätiger Verlag der Sache annähme, bevor das Tun und Treiben der gesamtdeutschen Verlegerschaft und kritischen Literaturpolitik wieder – wie zu den Zeiten des Nationalsozialismus – in den geschichtlichen Schuldbegriff hinübergreift [...]".
Dass Noflaner gerne einer Lust am Spiel mit dem Irrationalen und dem Risiko nachging, zeigt sich auch darin, dass er geradezu fanatisch Eishockey-Derbys besuchte und sich lebenslang mit dosierten Einsätzen am Lottospiel beteiligte. Nach der Schließung der Grödner-Bahn 1960 bewahrt er sich seine Mobilität, indem er sich ein rotes Motorrad der Marke Victoria zulegt, mit dem er nach Klausen, Brixen oder Bozen ausschwärmt.

Foto von 1975

1967 bis 1989: der Schriftsteller, Zeichner und Maler

In den 1960er-Jahren eignet sich Noflaner grundlegende Techniken der Malerei an und intensiviert das Zeichnen mit Tusche und Kugelschreiber. Zur literarischen Ambition tritt auf diese Weise ein weiterer Schauplatz für seine geistige Selbstbehauptung hinzu, von dem er das erhofft, was ihm als Schriftsteller versagt geblieben war, nämlich als Maler erfolgreich und berühmt zu werden. Den Erfolg hält er für die Rechtfertigung einer künstlerischen Leistung, gleichzeitig leidet er unter der mangelnden Resonanz und reitet auch Attacken gegen erfolgreiche und berühmte Protagonisten in der Kunst.

Aus dem für diese Monografie von Katharina Moling erstellten Werkverzeichnis erschließt sich die Datierung seiner frühesten Werke mit 1967. In dieses Jahr fällt auch die erste Ausstellungsbeteiligung mit der Zuerkennung des 1. Preises für Grafik durch die Jury und die erste Notiz von Franz Noflaner in der Presse überhaupt. Ohne einen ersichtlichen Reifungsprozess entstehen nun innerhalb von fünfzehn Jahren neben dem gewöhnlichen Broterwerb und parallel zur schriftstellerischen Arbeit etwa 400 Werke auf Leinwand und ein ebenso umfangreiches zeichnerisches Werk. Es folgen weitere Ausstellungen und ermutigende, aber zugleich auch überforderte oder ratlose Kritiken, die keine der von Noflaner erhofften Nachwirkungen bringen. Zwanzig Jahre lang ist das Echo auf den Kreis für Kunst und Kultur („Circolo") in St. Ulrich und auf einige regionale Pressemeldungen beschränkt.

Im Jahr 1967 stellt Franz Noflaner Anträge um Aufnahme in den Südtiroler Künstlerbund in Bozen, zuerst für die Sparte „Malerei" und dann für die Sparte „Schriftsteller". Beide werden vom Vereinsvorstand unter der Führung von Arch. Erich Pattis abgelehnt. Die künstlerische Selbstentfaltung als Dichter und Maler erweist sich

Franz Noflaner
um 1978 in Paris

zunehmend als eine zwanghafte Selbstbehauptung gegenüber einer ihm gegenüber voreingenommenen Fachwelt. In diese Zeit fallen weitere Reisen mit Künstlerfreunden oder er nimmt an vom „Circolo" organisierten Kunstreisen teil. Belegt sind Blitztouren nach Paris, Berlin, München und in die Toskana, inklusive der jeweiligen Museumsbesuche, von denen er sich häufig zum Schreiben in ein Kaffeehaus zurückzog.

So wie in der Literatur eignet sich Noflaner ein sehr eigenwilliges und ganz unkonventionelles Urteil über die moderne und zeitgenössische Kunst an und verblüfft damit seine Künstlerfreunde mit Details und Fachwissen. In den 1960er- und 1970er-Jahren sind die „Bar Adler" und das „Café Demetz" in St. Ulrich Treffpunkt der Zeitungsleser und Grödner Künstler. Noflaner nützt den täglichen Aufenthalt zur Meinungsbildung, Information und Konfrontation mit seinem Bekanntenkreis. Dazu gehören die Brüder Adolf, Bruno und Markus Vallazza, Josef Kostner, Roland Kristanell, Florian und Franz Schrott, später Leander Piazza, Anselmo Obletter, Gregor Prugger, Markus Schenk. Dem Kontakt mit dem Maler Robert Scherer, damals in Brixen wohnhaft, verdankt Noflaner die Begegnung mit dessen Frau Elisabeth, der Journalistin Elisabeth Baumgarnter, die für die Tageszeitung „Dolomiten" die erste ernsthafte Rezension zu seiner ersten Einzelausstellung verfasst.

Im künstlerischen Werk wie auch im wirklichen Leben von Franz Noflaner kommt der Frau als Projektionsfläche für menschliche Wünsche und Abgründe eine zentrale Bedeutung zu. Allerdings ist

In der Bar Adler
in St. Ulrich
um 1976

von längeren Liebschaften oder Bindungen nichts überliefert, was den von jeder materiellen Wirklichkeit völlig losgelösten menschlichen Kreaturen in seiner Malerei umso mehr eine verwirrende Intensität verleiht. Auch zum Thema Fortschritt hat er eine ambivalente Einstellung. Einerseits ist er fasziniert von Ufologie und fliegenden Tellern, andererseits ist in seinem Weltbild die im Lande wuchernde Motorisierung nicht vorgesehen. Auf einer Fahrt mit Markus Vallazza auf der erst seit kurzem eröffneten Autobahn nach Salzburg lässt er sich am Brenner absetzen, um mit dem Zug zurückzufahren.

In den 1970er-Jahren wird die junge Literaturszene in Südtirol auf Franz Noflaner aufmerksam. Auf Initiative von Markus Vallazza erscheinen Beiträge in Kulturzeitschriften, und Alfred Gruber lädt Noflaner zu Autorenbegegnungen in sein humanistisches Gymnasium nach Dorf Tirol ein. Von dem von Gruber 1974 gegründeten und geleiteten „Kreis Südtiroler Autoren" erhält Noflaner 1976 Einladungen zu Lesungen in Bozen und Meran, über die Gruber anschließend selbst in den „Kulturberichten" schreibt: „Noflaner, Tagelöhner, las teils selbst, teils andere aus seinen Bänden, [...] gewöhnliche Steine neben Edelsteinen." 1983 plädiert der Innsbrucker Germanist und Südtirol-Kenner Sigurd Paul Scheichl dafür, Noflaner neben Tumler oder Rosendorfer („bei allen Rangunterschieden") als Einzelgänger abzuhandeln. Spätestens als Noflaner 1984 auf dem Symposium zum Thema „Gibt es eine geistig-literarische Einheit Tirols" in der Cusanus-Akademie in Brixen erscheint und sich in der Diskussion zu Wort meldet, hat ihn die literarische Szene als eigenes Phänomen registriert.

Noflaners im ästhetischen Sinn konservative Position entspricht einem unbotmäßigen poetischen Traditionalismus, die alte Formen aufsaugt, völlig im Kontrast zur Haltung der jüngeren Autoren, die diese als verbrauchtes Bild- und Sprachmaterial ablehnen. Andererseits verneint er aber idealistische und ebenso materialistische Auffassungen von Kunst und Poesie, von denen – aus unterschiedlichen Motiven – die Welt als Bühne einer Dominanz des Menschen aufgefasst wird. Ganz ähnlich seine Haltung in der Malerei und Zeichnung: entgegen der angesagten Negation bildhafter Repräsentation durch Abstraktion und Minimalismus entfaltet Noflaner eine Welt aus Gesichtern, Figuren und Kreaturen inmitten eines natürlichen Habitats mit einer beseelten Fauna und Flora, eine Art Regression in ein Stadium vor der Moderne – oder ist es eine Nachmoderne? –, das aber erst aus den Erfahrungen der Moderne heraus begreifbar wird.
Im Sommer 1987 erstellen Diego Kostner und Gregor Prugger auf Initiative des „Circolo" eine fotografische Dokumentation der Werke auf Leinwand. Von jedem einzelnen Werk wurde ein Kleinbilddia angefertigt, in einem Aktenordner mit fortlaufender Nummer abgelegt und diese Nummer auch dem jeweiligen Werk zugewiesen. Der Ordner umfasst 350 Aufnahmen; sie dokumentieren den Bestand an Einzelwerken in der Technik Öl auf Leinwand sowie einzelne Zeich-

Noflaner in der Ausstellung im Kreis für Kunst und Kultur, 1987

nungen. Dieser „Ordner Circolo" bildete die Grundlage für das in dieser Publikation vorgelegte Werkverzeichnis.
Im Jahr 1987 zeigt Franz Josef Noflaner zuerst in einer weiteren Einzelausstellung im Kreis für Kunst und Kultur in Gröden und dann im Forum Ar/Ge Kunst in der Galerie Museum in Bozen einen repräsentativen Querschnitt seiner Malerei. Das Presseecho und die Reaktionen in der Öffentlichkeit sind jetzt interessiert und überrascht von der erschütternden Unmittelbarkeit und Eigenständigkeit dieses Werkes. Noflaner selbst äußert sich, befragt über die Zukunft seines Werkes, dass er zeitlebens kein Bild verkauft habe und dies auch nicht beabsichtige. Sein Wunsch sei es, „dass sie einmal in einer öffentlichen Einrichtung zur Ausstellung kommen, wo sie [die Werke] für immer allen Kunstliebhabern zugänglich sind." Hier verbirgt sich ein exzentrischer Hang zur Bedürfnislosigkeit, gepaart mit einer künstlerischen Unbescheidenheit, der auch im Stolz zum Ausdruck kommt, nie Schulden gemacht oder einen Kredit beansprucht zu haben.
Die letzten Lebensjahre verbringt Franz Josef Noflaner im Altersheim von St. Ulrich. Am 13. Mai 1989 ist er im Krankenhaus von Brixen gestorben. Der literarische Nachlass (siehe dazu Band I, Seite 223) wird im Jahr 2004 der Dokumentationsstelle für Neuere Südtiroler Literatur im Südtiroler Künstlerbund in Bozen übergeben. Er um-

Franz Noflaner in
Schloß Maretsch, Bozen,
am 10. Oktober 1984

fasst erhebliche Restbestände der im Selbstverlag herausgegebenen vier Bände. In den Jahren 2003 und 2004 werden diese systematisch an öffentliche und private Institutionen und Bibliotheken in Südtirol abgegeben. Der künstlerische Nachlass wird von der Nachlassverwaltung unter der Leitung von Irene Bergmeister Noflaner auf die Familien der Geschwister aufgeteilt; eine größere Anzahl von Werken wird später auf privatem Wege an Interessenten und Sammler verkauft.
Im Jahr 2012 richten das Museum Ladin in St. Martin in Thurn und der Kreis für Kunst und Kultur in St. Ulrich eine große Retrospektive in zwei Teilen aus, die Anlass sind für eine breite Rezeption und Neubewertung des Gesamtwerks und für eine Reihe von Lesungen und Wortveranstaltungen.

Quellen:
Nachlass Franz Josef Noflaner in der Dokumentationsstelle für Neuere Südtiroler Literatur im Südtiroler Künstlerbund in Bozen; Auswertung der Bibliografie in diesem Band, insbesondere Katharina Moling, Alma Vallazza, Markus Vallazza sowie Gespräche mit den Familienangehörigen von Franz Josef Noflaner.

Retrospektive im Kreis für Kunst und Kultur, St. Ulrich, 2012

Retrospektive im Museum Ladin, St. Martin in Thurn, 2012

Ausstellungen

1967 Kreis für Kunst und Kultur, St. Ulrich, Gröden, Kollektivausstellung mit Wettbewerb, Zuerkennung 1. Preis für Grafik
1968 Kreis für Kunst und Kultur, St. Ulrich, Gröden, Kollektivausstellung zusammen mit Arbeiten von Josef Kostner, Karl Mussner und Adolf Vallazza
1970 Kreis für Kunst und Kultur, St. Ulrich, Gröden, erste Einzelausstellung
1987 Kreis für Kunst und Kultur, St. Ulrich, Gröden, Einzelausstellung
1987–1988 Museum Galerie, Forum Ar/Ge Kunst, Bozen, Einzelausstellung
1990 *Arbeiten auf Papier,* Kreis für Kunst und Kultur, St. Ulrich, Gröden, Einzelausstellung
1995 *Itinera. Verläufe der Kunst in Südtirol*, Schloss Maretsch, Ausstellungsbeteiligung (Katalog)
2012 *Wünschen, blicken, staunen.* Große Retrospektive: Erster Teil – Museum Ladin, St. Martin in Thurn; Zweiter Teil – Kreis für Kunst und Kultur, St. Ulrich

Bibliografie

Bücher
Gebundene Ähren. Prosa und Lyrik. Athesia Bozen 1956.
Kristall und Sonnenlicht. Gemischte Dichtungen. Athesia Bozen 1957.
Antennen wie Schwingungen. Athesia Bozen 1959.
Die gefräßige Straße. Einfaches, verzwicktes und vertracktes Schrifttum. Zyklus Verlag Gröden 1960.

Beiträge
Chronisches Übel. In: „Arunda. Südtiroler Kulturzeitschrift. Menschenkinder", Heft Nr. 1, Schlanders 1976, S. 44.
Bruno Vallazza. In: „Arunda. Südtiroler Kulturzeitschrift. Zerstörung", Heft Nr. 2, Schlanders 1976, S. 63 f.
Betrachtungen [Prosa]. In: Dorothea Merl/Anita v. Lippe (Hrsg.), *Südtirol erzählt. Luftjuwelen – Steingeröll.* Tübingen, Basel 1979, S. 254–256.
Arabische Legende [Prosa]. In: Alfred Gruber (Hrsg.), *Nachrichten aus Südtirol. Deutschsprachige Literatur in Italien.* Hildesheim, Zürich, New York 1990 (Ausländische Literatur der Gegenwart 4, hrsg. von Alexander Ritter), S. 217–220.
Aussöhnung mit meinen Abnehmern; *Der Unverbesserliche*; *Widmung*; *Floskel*; *Kurze Post*; *Dem Glück ins Ohr*; *Mutter* [Lyrik], in: „Sturzflüge. Eine Kulturzeitschrift", Nr. 31, 9 Jahrgang, Bozen 1990, S. 8–10.

Über Franz Josef Noflaner
Kollektivausstellung in der „Mostra d'Ert". Grödner Künstler zeigen in St. Ulrich ihre Werke. In: Tageszeitung „Dolomiten" vom 12.08.1967, Bozen, S. 13.
Franz Noflaner, Autodidatta alla sua prima Personale. In: Tageszeitung „L'Adige" vom 06.08.1970, Trient, S. 34.
Elisabeth Scherer, *Ein Urbild des Kreatürlichen.* In: Tageszeitung „Dolomiten" vom 07.08.1970, Bozen, S. 7.
Manuel Gasser, *Markus Vallazza.* [mit einem Porträt von Franz Josef Noflaner, 1965, Kohle und Aquarell] In: Zeitschrift „du", Heft 3, Zürich 1974, S. 35.
Markus Vallazza, *Franz Josef Noflaner.* In: „Arunda. Südtiroler Kulturzeitschrift. Menschenkinder", Heft 1, Schlanders 1976, S. 39–44.

Alfred Gruber, *Der Kreis für Literatur im Südtiroler Künstlerbund*. In: „Kulturberichte aus Tirol", Nr. 253/254, 31. Jahrgang, Innsbruck 1977, S. 23.

Paul Wimmer, *Wegweiser durch die Literatur Tirols seit 1945*. Darmstadt 1978, S. 212–214.

Interview mit Franz Josef Noflaner in der Sendereihe „Dichterstimmen aus Tirol", Rai-Sender Bozen, 1981.

Markus Schenk, *Franz Noflaner tla sala Mostra d'ert a Urtijei*. In: „La Usc di Ladins" vom 01.09.1981, St. Ulrich/Gröden, S. 13.

Eva Kreuzer-Eccel, *Aufbruch, Malerei und Graphik in Nord-Ost-Südtirol nach 1945*. Bozen 1982, S. 152f.

Sigurd Paul Scheichl, *Probleme einer tirolischen Literaturgeschichte der jüngsten Zeit*. In: „Der Schlern", Heft 10, Bozen 1983, S. 531.

Markus Vallazza, *Wer ist Franz Noflaner?* In: „FF – Südtiroler Illustrierte", Nr. 33, Bozen 1987, S. 52–54.

Verena Pitschieler, *Franz Josef Noflaner una vita dedicata ai colori*. In: Tageszeitung „Alto Adige" vom 27.08.1987, Bozen, S. 17.

Gottlieb Pomella, *Meine Bilder reden von selbst und verkaufen tu ich sie nicht*. In: Tageszeitung „Alto Adige" vom 30.08.1987, S. 13.

-lm-, *Stiller Aufschrei eines Unikums*. In: Tageszeitung „Dolomiten" vom 01.10.1987, Bozen S. 17.

Edith Moroder, *Ausstellungen in Südtirol*. In: „Kulturberichte aus Tirol", Nr. 337/338, 42. Jahrgang, Innsbruck 1988, S. 27.

Carlo Girardello, *Contributo all'analisi dell'opera di Franz Noflaner*. In: „L'Brunsin", Nr. 68, St. Ulrich/Gröden 1988, S. 7–10.

Markus Vallazza, *Franz Noflaner*. In: Forum Ar/Ge-Kunst (Hrsg.), *Ar/Ge-Kunst-Jahrbuch 1985-1986-1987*, Museum Galerie, Bozen 1988, S. 88–89.

Guido Obletter, *Na Vita per l'ert*. In: „Calënder de Gherdëina", St. Ulrich/Gröden 1988, S. 58f.

Roland Kristanell, *In Memoriam F. J. Noflaner*. In: „FF – Südtiroler Illustrierte", Nr. 22, Bozen 1989, S. 68.

Gregor Prugger, *Eine Welt für sich*. In: „L'Brunsin", Nr. 80, St. Ulrich/Gröden 1989, S. 11.

l.g. *I disegni di Franz Noflaner*. In: Tageszeitung „Alto Adige" vom 13.07.1990, Bozen, S. 18.

Roland Kristanell/Wolfgang Thomaseth, *Wer war Franz Noflaner?* Filmporträt der Rai – Sender Bozen, 30 Minuten, 1990.

Roland Kristanell, *Der Dichter Franz Josef Noflaner.* In: „Sturzflüge. Eine Kulturzeitschrift", Nr. 31, Bozen 1990, S. 4–10.
Alfred Gruber (Hrsg.), *Nachrichten aus Südtirol. Deutschsprachige Literatur in Italien.* Hildesheim, Zürich, New York 1990 (Ausländische Literatur der Gegenwart Bd. 4, hrsg. von Alexander Ritter), S. 5–22, 286.
Hans Georg Grüning, *Die zeitgenössische Literatur Südtirols. Probleme, Profile, Texte.* Edizioni Nuove Ricerche, Ancona 1992, S. 71–72.
Itinera. Verläufe der Kunst in Südtirol. Katalog zur Ausstellung der Autonomen Provinz Bozen in Schloss Maretsch und Halle 2 der Bozner Messe, Bozen 1995, o. P.
Erich Demetz, *La visions de F. Noflaner.* In: „Sonntagszeitung Z" vom 01.05.1999, Bozen, S. 7.
Alma Vallazza, *Kein Tätiger ist seiner brennenden Wünsche sicher. Franz Josef Noflaner (1904–1989).* In: „filadressa. Kontexte der Südtiroler Literatur", Heft 1, Bozen 2001, S. 42–75.
Karin Dalla Torre/Ferruccio Delle Cave (Hrsg.): *alfred gruber. 30 Jahre literatur in südtirol.* Bozen 2001, S. 14, 85, 188.
Roland Kristanell, *Der Dichter Franz Josef Noflaner.* In: Markus Vallazza (Hrsg.), *Ich litt mich in die Freude ein*, Bozen 2002, S. 91–95.
Ingrid Keim, *Dominante Verfahrensweisen Südtiroler Schriftsteller und Schriftstellerinnen im Zeitraum von 1945 bis 1970. Materialien und Analysen.* Diplomarbeit, Universität Innsbruck 2002, S. 264.
Markus Vallazza, *Portraits/Ritratti 1956–2002.* Mit Texten von Peter Weiermair, Markus Vallazza. Bozen 2006 [Kohlezeichnungen bzw. Radierungen zu F. J. Noflaner], S. 19, 32, 33, 37.
Peter Weiermair, *Freunde, Verwandte sowie Wahlverwandte: Überlegungen zu den Portraits von Markus Vallazza.* In: Markus Vallazza, *Portraits/Ritratti 1956–2002*, Bozen 2006, S. 5.
Renate Maruschko und Alma Vallazza (Hrsg.), *Markus Vallazza, Das Radierwerk 1966–1978.* Wien Bozen 2007, Bd. I [Radierungen/Porträts zu/mit F.J.N.], S. 148, 284, 331, 334, 338; Bd. II, S. 333.
Marion Piffer Damiani, *Bildende Kunst in Südtirol seit 1945.* In: Paul Naredi-Rainer/Lukas Madersbacher (Hrsg.), *Kunst in Tirol vom Barock bis in die Gegenwart*, Bd. 2, Bozen 2007, S. 732, 750.
Wünschen, blicken, staunen. Franz J. Noflaners Werke der 60er bis 80er Jahre werden neu entdeckt. In: Tageszeitung „Dolomiten" vom 10.08.2012, Bozen, S. 18.

Wahnsinnige Kunst. In: „Neue Südtiroler Tagezeitung" vom 17.08.2012, Bozen, S. 23.

Sgarbi tl Museum Ladin. In: „La Usc di Ladins" vom 24.08.2012, St. Ulrich/Gröden, S. 22.

Georg Mair, *Ich male also bin ich.* In: „FF – Das Südtiroler Wochenmagazin", Nr. 36, Bozen 2012, S. 62f.

Noflaner mal zwei. In: „Neue Südtiroler Tagezeitung" vom 26.10.2012, Bozen, S. 27.

Wünschen, blicken, staunen. In: „Das Land Südtirol", 21. Jahrgang, Bozen 2012, Heft 10, S. 23.

Literarischer Frühling, Literatur Lana startet sein literarisches Frühjahrsprogramm mit einer Lesung aus den Schriften von Franz Josef Noflaner und einer Buchvorstellung. In: „Neue Südtiroler Tageszeitung" vom 21.02.2013, Bozen, S. 20.

Katharina Moling, *Studien zu Franz Josef Noflaner (1904–1989). Portrait und Werkverzeichnis.* Magisterarbeit, eingereicht am Institut für Kunstgeschichte, Universität Wien 2016.

Internetquellen
Stand 28.02.2016
https://de.wikipedia.org/wiki/Franz_Josef_Noflaner
http://orawww.uibk.ac.at/apex/uprod/f?p=TLL:2:0::::P2_ID:542
http://peoplecheck.de/s/franz+josef+noflaner
http://digital.tessmann.it/tessmannDigital/Literatur/Suche;jsessionid=CCF9913FA116A40AC99CE431AA67DEB9?query=Noflaner&filterF_type=Story

Autoren

Markus Klammer

Studium der Geschichte, Germanistik, Kunstgeschichte und Philosophie an der Universität Innsbruck; Dr. phil., Oberschullehrer; 1986 bis 1991 Vorstandsmitglied des Forums Ar/Ge Kunst – Museumgalerie, Bozen; 1995 bis 1998 Gründung und Leitung des Kunstvereins Bozen; Projektarbeit für verschiedene Museen; Kunstkritiker, Herausgeber und freier Ausstellungskurator; Ausstellungen und Publikationen (Auswahl): *Dimension Schweiz 1915 – 1993; Gerhard Merz; Joseph Beuys; Blinky Palermo; Hugo Vallazza; Heinz Gappmayr; Franz Josef Noflaner; Gianpietro Carlesso.*

Markus Landert

1978 bis 1986 Studium der Kunstgeschichte, Germanistik und Psychologie an der Universität Zürich; parallel dazu journalistische Tätigkeit; 1987 bis 1992 Direktionsassistenz am Kunstmuseum Bern; seit 1992 Direktor des Kunstmuseums Thurgau und des Ittinger Museums in der Kartause Ittingen; Herausgeber mehrerer Publikationen zur zeitgenössischen Kunst und zur Außenseiterkunst (*Weltensammler. Internationale Aussenseiterkunst der Gegenwart; Kunst oder was? Bildnerisches Gestalten im Spannungsfeld von Therapie und Kunst*); Autor von Texten über Joseph Kosuth, Jenny Holzer, Olaf Nicolai oder Adolf Dietrich, Franz Huemer, André Robillard und anderen Außenseiterkünstlern.

Katharina Moling

1986 geboren, lebt in Wengen/Gadertal; Studium der Kunst-, Musik-, Film- und Theaterwissenschaften in Padua; Masterstudium der Kunstgeschichte an der Universität Wien; seit 2012 Projektleiterin und verantwortlich für Museumsdidaktik im Museum Ladin Ciastel de Tor in St. Martin in Thurn/Gadertal. Erfahrungen als freischaffende Kuratorin und in der Organisation und Konzeption von Ausstellungen und interkulturellen Projekten.

Impressum

Diese Publikation erscheint im Auftrag von:

Istitut Ladin Micurá de Rü
St. Martin in Thurn

"Betrieb Landesmuseen"
Museum Ladin Ciastel de Tor
St. Martin in Thurn

© 2016 HAYMONverlag
Innsbruck-Wien
www.haymonverlag.at

© der Textbeiträge bei den AutorInnen

Auflage:
4   3   2   1
2020 2019 2018 2017

Alle Rechte vorbehalten. Kein Teil des Werkes darf in irgendeiner Form (Druck, Fotokopie, Mikrofilm oder in einem anderen Verfahren) ohne schriftliche Genehmigung des Verlages reproduziert oder unter Verwendung elektronischer Systeme verarbeitet, vervielfältigt oder verbreitet werden.

978-3-7099-7245-8

Herausgeber: Markus Klammer
Lektorat: Rudi Schweikert
Umschlag- und Buchgestaltung, Satz:
Gruppe Gut Gestaltung

Schuberabbildungen
Vorne: Franz Josef Noflaner, Ohne Titel, 1969, WV 105
Hinten: Textcollage aus Typoskript
Frontispiz: Markus Vallazza, *Franz Josef Noflaner*, 1983, Zeichnung Mischtechnik

Bildnachweis:
Alle Werkabbildungen zu Franz Josef Noflaner:
Archiv Istitut Ladin Micurá de Rü, St. Martin in Thurn
Fotos und Dokumente:
Nachlass von Franz Josef Noflaner in Händen von Familienangehörigen
Dokumentationsstelle für neuere Südtiroler Literatur
Südtiroler Landesarchiv (S. 234)
Leander Piazza (S. 242)
und aus Privatbesitz

S. 2 und S. 230 © Markus Vallazza, Foto Augustin Ochsenreiter
S. 166 Pablo Picasso, *Guernica*, 1937 © Succession Picasso/ Bildrecht, Wien, 2016
S. 167 Jean Dubuffet, *Fautrier Araignée au front*, 1947 © Bildrecht, Wien, 2016
S. 164 Louis Soutter, *Le miroir, le fard et les plis*, 1934, (aus: Thevot, Louis Soutter ou l'écriture du désir, Lausanne 1974)
S. 167 Pieter Bruegel der Ältere, *Die großen Fische fressen die kleinen*
S. 169 *Hl. Christophorus*, Fresko an der Außenwand der St. Jakob-Kirche in St. Ulrich (Foto: Istitut Ladin Micurá de Rü, St. Martin in Thurn)

Die Drucklegung erfolgt mit freundlicher Unterstützung

der Abteilungen Ladinische Kultur und Museen
der Autonomen Provinz Bozen - Südtirol

der Kulturabteilung des Landes Tirol

der Firma Finstral, Unterinn/Ritten

Gedruckt auf umweltfreundlichem,
chlor- und säurefrei gebleichtem Papier.